LA PSYCHOLOGIE DU SPORT ET LA PERFORMANCE EN AFRIQUE

First edition. April 9, 2024.

ISBN: 979-8224038992

Written by Cheikh SARR.

Cheikh SARR

. . . .

La Psychologie du Sport et la Performance en Afrique

Le Sport en Afrique, un terrain miné par le politique,
les conflits et les pratiques magicoreligieuses

. . . .

DADYMINDS PUBLISHERS INSIDER

Première édition
Édité par ANATH LEE WALES
En savoir plus sur la société DADYMINDS : https://www.dadyminds.com
L'éditeur : DPI (DADYMINDS PUBLISHERS INSIDER) est le département
TM de responsable de l'édition de livres et des services aux auteurs chez
DADYMINDS HOLDINGS LLC.
Courriel : info.dadymindsltd@gmail.com
WhatsApp : +250 (781) 355-361/+1 (307) 323-4616
Adresse postale : 1007 North Orange Street, 4th Floor Suite #2987, Wilmington,
Delaware, États-Unis

Dédicaces

- A mes très chers parents,

Vous avez été et vous serez toujours un exemple pour moi par vos qualités humaines, votre persévérance et perfectionnisme. En témoignage de toutes ces années de sacrifices, de sollicitudes, d'encouragement et de prières, trouver dans ce travail le fruit de toutes vos peines et efforts. Aucune dédicace ne saurait exprimer mon respect, ma reconnaissance et mon profond amour. Puisse Dieu vous préserver et vous procurer santé, longue vie et bonheur.

- A mes frères et sœurs,

Source inépuisable de tendresse, de patience et de sacrifice, vos prières et bénédictions m'ont été d'un grand secours tout au long de ma vie. Quoique je puisse dire et écrire, je ne pourrais exprimer ma grande affection et ma profonde reconnaissance. J'espère ne jamais vous décevoir, ni trahir votre confiance et vos sacrifices.

Puisse Dieu tout puissant, vous préserve et vous accorde la santé, lune ongue vie et le bonheur.

- A ma très chère épouse Awa,

"Je tiens à m'excuser du fond du cœur pour avoir été absent de la maison pendant toutes ces années en raison de mon travail. Je sais que cette période a dû être difficile pour toi et pour nos enfants, et je regrette sincèrement de ne pas avoir été là pour nous.

Je comprends que j'ai manqué de nombreux moments importants de notre vie, et je suis conscient de la peine et du chagrin que cela a pu causer à notre famille. Je suis chagriné pour tout le stress et l'anxiété que j'ai pu causer pendant mon absence.

Sachez que je suis reconnaissant pour tout ce que vous avez dû faire pendant mon espacement, et que je suis fier de toi et de nos enfants pour avoir surplombé cette période difficile. Je suis actuellement déterminé à être plus souvent présent dans votre vie.

Je sais que les mots ne peuvent pas effacer les années d'absence, mais je confirme de faire tout ce qui est faisable pour rattraper le temps perdu et pour vous montrer à quel point vous êtes importants pour moi. Je vous aime tous,
Avec tout mon amour et ma sincérité ".

(2)

- A feue Safiétou Diatta,

Elle fut la première femme à obtenir un doctorat en psychologie de sport avec feue Aminata Diack qui a était mon professeur de psychologie du sport à l'INSEPS de Dakar. Elles m'ont inspiré. Que Dieu ait pitié de leurs âmes.

- A mes chers collègues du département STAPS/JL :

✓ *Dr Hameth Dieng (sociologue du sport et didacticien du football),*

✓ *Dr Djiby Guissé Diakhaté (biomécanicien, physiologiste, didacticien du football),*

✓ *Dr Nalla Socé Fall (psychologue de sport et didacticien de l'athlétisme),*

✓ *Dr Wahab Cissé (sociologue).*

✓ *Mr Hamidou Badji (didacticien de la natation),*

✓ *Mr Gana Ndione (didacticien du football et sport handicap),*

✓ *Mr Cheikh Sadibou Ndiaye (didacticien du judo),*

✓ *Mr Ismaël El Moctar Ndiaye (didacticien du handball),*

Par leur position antithétique sur tous les sujets relatifs à l'intervention dans le sport, ils ont indéniablement contribué à pousser la réflexion en tant qu'acteurs sur le terrain et en tant que chercheurs herculéens. Votre soutien moral et social reste immensurable.

- A tous les collègues de l'UFR SEFS

- A tout le personnel administratif, technique et de service de l'UFR SEFS
- A toute la communauté universitaire de l'UGB

A tous les directeurs de l'UFR SEFS

- Professeur Gora Mbodj
- Professeur Omar Sougou
- Professeur Saliou Diouf
- Professeur Assane Diakhate

(3)

Kimihurura, merci pour m'avoir dissimulé dans ta quiétude du silence résonnant d'idées, au gout du café noir Maraba, au saveur Gorilla. Merci pour les senteurs du dodo sauté mélangé au champignon qui ont porté leur coup de grâce à mes papilles gustatives. Merci à KG 28 Av. qui succéda à KG 8 Av., portant à plus de vingt fois mon inspiration affalant, si insaisissable, fuyante, admise et favorisante, qui m'a surprise dans cette ascension nommée Amohoro.

Reconnaissance

D ans une œuvre artistique, il y a toujours des personnes, des situations et circonstances qui participent de près ou de loin, directement ou indirectement, consciemment ou inconsciemment, à son élaboration. Pour cette raison je voudrais exprimer ma reconnaissance :

- A mon encadreur de thèse feu Gora MBODJ, professeur des universités, et aux évaluateurs et assesseurs, pour leur apport et leur regard critique sur plusieurs questions concernant le domaine de la psychologie du sport, portant ainsi au plus haut niveau le crédit qu'il faudra accorder à la construction de cette discipline scientifique, académique et de recherche, dont les principes et concepts les plus notables sont discutés ici.

- Au Dr Hameth Dieng, président de la section de basketball de l'UGB et premier chef du département STAPS. Tes conseils et ton implication dans ma carrière d'entraineur et d'enseignant chercheur a été déterminant et décisif.

- Au Dr Djiby Guissé Diakhaté. En tant que deuxième chef de département, tu t'es toujours impliqué dans ma carrière universitaire. Les nombreuses heures passées ensemble pour améliorer ma thèse, avec Hameth Dieng, Mar Mbodj et Mamadou Lamine Coulibaly restent des moments mémorables. Je tiens à vous exprimer ma plus grande reconnaissance.

- A Gershon TENENBAUM, professeur des universités et responsable du laboratoire de recherche et de l'exercice de l'Université d'état de la Floride, à Tallahassee. Par son entremise, j'ai pu effectuer des stages et développer des relations professionnelles avec les membres du laboratoire de recherche.

- Aux étudiants en STAPS, par leur esprit critique, les défis qu'ils ont eu à relever dans l'exécution de leur responsabilité académique (devoirs et travaux dirigés par exemple), ont largement contribué autant à la mise en cause des méthodes d'enseignement qu'à l'amélioration des cours et recherches.

• Au Dr Nataniel BOIANGIN, responsable de l'organisation de la psychologie du sport et entraineur de l'équipe universitaire masculine de Hockey sur Glace. Mais aussi Dr Ita BASEVITCH, spécialiste en apprentissage moteur. Ils ont largement contribué à faciliter la saisie des concepts psychologiques et leur application dans le domaine du sport.

Tableau des Matieres

ontinuer à croire et à accepter les discours des politiques et des responsables des organisations sportives lors des évènements sportifs semble légitime pour ceux qui adopteraient une attitude passive et se soumettraient aux idées admises de la cause sportive. L'intellectuel qui répondrait de ce nom adopterait une position différente et singulière afin de se démarquer du danger du conservatisme béat et des idées reçues.

Cet anticonformisme ne semble trouver aucun espace d'expression qui permet d'apporter un point de vue contraire à la glorification de l'écosystème sportif basé sur le capitalisme. Se démarquer de cette approche orthodoxe signifierait de la part de certains intellectuels de nager à contre-courant de ceux *"dont la fonction immédiate devrait être de fournir un travail critique", et qui "ont trouvé dans le sport un moyen commode de se croire encore du côté du peuple, c'est-à-dire de l'image qu'ils s'en font"* (BROHM, 2019).

Ce livre, sans rentrer dans une opposition entre le subjectif et l'objectif, tente de faire une analyse critique de la psychologie du sport et du sport dans un contexte large, mais africain, basée sur une approche structuraliste radicale.

Comme les structuralistes radicaux qui *"croient qu'en dernière analyse, les pratiques matérielles et sociales limitent les individus, les organisations et les sociétés. Leur approche est plutôt réaliste, positiviste, déterministe et nomothétique."* (GURD, 1980), nous cherchons en plus de notre côté, autant que possibles, à expliquer les évènements mais aussi à libérer le lecteur de la contrainte de l'habitude.

Au-delà du désir de partager l'objet d'une discipline peu connue en Afrique, deux volontés avouées nous servira de fil conducteur dans ce projet.

La première est celle de faire l'analyse d'une légitimation de pratiques psychosociologiques et magicoreligieuses dans le sport moderne au détriment de la psychologie du sport. Cette dernière est une discipline relativement nouvelle en Afrique, et son développement a été entravé par plusieurs freins majeurs dont l'acceptation limitée par les sportifs eux-mêmes ainsi que les organisations sportives. En effet, certains athlètes africains considèrent encore la pratique d'une activité physique comme étant principalement axée sur le corps plutôt que sur l'esprit. Ils ne voient pas toujours l'intérêt ou la pertinence d'utiliser des techniques mentales pour améliorer leurs performances physiques. Cette attitude peut être due à un manque de sensibilisation et d'éducation quant aux avantages potentiels de la psychologie du sport dans leur entraînement. De plus, il y a souvent un manque de ressources financières et humaines consacrées au développement de cette discipline en Afrique. Les organisations sportives ont tendance à sous-estimer son importance et n'allouent donc pas suffisamment d'investissements pour sa promotion auprès des athlètes professionnels ou amateurs. Au contraire, la majeure partie des fédérations nationales et clubs africains attribuent des ressources aux pratiques magicoreligieuses pour la performance.

Cependant, le monde du sport africain accorde une grande importance à ces pratiques. Elles sont considérées comme des moyens efficaces pour influencer la performance sportive d'un individu ou d'une équipe. Les croyances et les rituels liés à ces pratiques peuvent varier selon les cultures, mais leur impact sur la performance est souvent perçu comme réel par de nombreux athlètes. Les pratiques magico-religieuses peuvent prendre différentes formes, allant des prières aux sacrifices animaux en passant par l'utilisation de talismans ou amulettes. Ces actes symbolisent souvent un lien entre l'athlète et ses ancêtres, sa communauté ou son Dieu. *"Dans nos sociétés africaines traditionnelles où il y a une forte imprégnation religieuse et culturelle, on croit beaucoup aux forces surnaturelles qui agissent sur notre vie quotidienne"* selon (Diatta, 1999). Ainsi, chez certains sportifs africains, le recours à ces rites peut être motivé non seulement par un désir de réussite personnelle mais aussi parce qu'ils pensent que cela renforcera leur identité culturelle.

Néanmoins, certaines organisations sportives voient cette pratique d'un mauvais œil car elle va contre leurs valeurs professionnelles qui prônent le fair-play ainsi que la neutralité vis-à-vis des convictions personnelles des joueurs.

La seconde, elle, veut démontrer les contradictions et les intérêts cachés derrière les discours sociétaux et organisationnels portant sur le sport. En effet, le sport aurait une face cachée puis que si certains magnifient les valeurs qu'il porte, d'autres pensent qu'il n'est que le reflet d'une société influencée par la politique, la religion, le racisme, les médias, la violence, entre autres.

Ibou SANE

Professeur titulaire de psychosociologie
UFR de Lettres et Sciences Humaines
Gaston BERGER Université de Saint Louis
Sénégal

1. Introduction Générale

Ÿ Il s'agit de faire l'analyse du prétexte en expliquant les raisons qui ont poussé à s'intéresser au thème de la psychologie du sport et la performance en Afrique.

Ÿ De rappeler les faits qui ont amené la psychologie du sport à s'immiscer dans la sphère sportive afin de justifier de la nécessité d'une intervention.

1.1. Pourquoi la Psychologie du Sport et la Performance en Afrique

L a psychologie du sport date de la fin du XIXème siècle. Depuis cette époque, elle a acquis le statut de discipline scientifique, de profession, ainsi qu'une certaine reconnaissance. Son évolution rapide et complexe a suivi plusieurs étapes depuis son origine (1895 – 1940) jusqu'à son acceptation (1965), en passant par son déploiement (1950 – 1965). Durant toute cette période, les contributeurs de la psychologie du sport ont progressé suivant une perspective généralement anglo-saxonne, sans tenir compte de la position africaine de cette discipline qui étudie les comportements et les processus mentaux des sportifs, en apportant des solutions à leur état mental et physique.

A l'instar des autres disciplines scientifiques en constante évolution, la psychologie du sport a été influencée par des tendances socioculturelles comme la professionnalisation du sport et l'amplification du mouvement olympique. Le besoin de comprendre comment l'athlète sent, agit et réagit, dans un contexte de préparation et de compétition, a amené les professionnels du domaine à apporter des réponses corrélativement. La question est loin de répondre à une configuration géographique d'une discipline entre les pays anglo-saxons, d'Asie et ceux d'Afrique, mais plutôt de comprendre le décalage qui a existé entre les besoins des athlètes et la réponse qui leur avait été apportée en conséquence, surtout dans le contexte africain.

Ainsi, depuis des décennies, des travaux ont été réalisés partout dans le monde afin d'examiner la personnalité des athlètes, leur motivation, ou simplement mettre en place des programmes d'entrainements mentaux (idéomoteurs) pour améliorer les techniques et les stratégies pendant les entrainements et les compétitions sportives.

Selon Lévèque (1993, pp 7) :

"Des psychologues de sport M. Vanek et B.J. Cratty, l'un tchèque et l'autre américain, intervenaient régulièrement auprès de leurs équipes nationales lorsqu'ils se rencontrèrent aux J.O. de Mexico en 1968 ; ils prolongèrent leur séjour pour écrire ensemble un ouvrage pionnier : Psychologie sportive et compétition, qui jeta les bases des pratiques contemporaines de préparation psychologique."

Cependant, si le suivi psychologique des athlètes de haut niveau est une condition requise pour les pays d'Amérique du Nord et d'Europe, il est presque impossible de prouver dans les pays africains l'existence d'un accompagnement psychologique, scientifiquement établi, portant sur la <u>préparation</u> mentale (ex. la pose des objectifs, le contrôle de l'attention, le contrôle émotionnel), sur la <u>prévention</u> (gestion du stress, la baisse ou l'absence de la motivation, et sur la réparation (ex. relaxation, gestion de la colère, des désillusions et des conflits), quelle que soit la discipline.

Cette absence de collaboration entre les dirigeants africains et les psychologues de sport pourrait cacher un scepticisme, un manque de crédibilité de ces derniers, ce qui aboutit, probablement, à l'occupation des lieux par des membres d'une communauté qui jouerait un rôle différent ou tenterait de jouer le même rôle. Plusieurs noms leur sont attribués : féticheurs, marabouts attitrés, charlatans, gourous, voyants, sorciers, etc. Aujourd'hui, force est de constater que leurs prestations, pronostics et prédictions concernant l'issue des compétitions, occupent indéniablement une grande partie de l'environnement médiatique. Les réseaux sociaux aidant, ils bénéficient d'une audition aussi dévouée qu'amusante A bien des égards, ils ont fini d'imposer leurs fonctions et bénéficient d'une certaine légitimité. Il est normal donc de se demander si ce sont les athlètes, les entraineurs ou les dirigeants sportifs qui le leur accordent, ou c'est parce que l'influence des pratiques magico-religieuses n'épargnent aucun secteur de la société ?

Pourrait-on la définir comme une psychologie du sport à l'Africaine ?

Si c'est le cas, jouerait-elle le même rôle que la psychologie dite scientifique dans le cadre de la performance ?

Pour répondre à ces questions complexes, *La Psychologie du Sport et la Performance en Afrique!* s'oriente vers une réflexion qui cherche à analyser les facteurs culturels, psychologiques, sociologiques, ethniques et moteurs qui contribueraient à clarifier cette problématique. En effet, la psychologie du sport, prise en compte dans bon nombre d'organisation sportive dans le monde semblent être presque ignorée dans le monde de l'entraînement, et de la compétition dans le contexte africain, autant dans les sports individuels que collectifs. Une des rares études dans ce domaine a montré que *"les basketteurs et les footballeurs, aux rituels magico-religieux fréquents, ont une anxiété-état plus élevée que les handballeurs et les judokas qui n'en ont pas"* (Diatta, 1999, p5).

Ce qui pose le problème de la prise en charge des capacités psychosociologiques telles que:

Ÿ Les capacités cognitives (qui concourent à l'appréhension et au traitement des informations, mais aussi à l'analyse des situations),

Ÿ Les capacités affectives (qui constituent une inépuisable source d'énergie, domaine des sentiments, des émotions, des passions)

Ÿ Les capacités socio-morales (respect des règles, coopération, aide et entraide à l'entraînement et en compétition).

A vrai dire, l'environnement sportif africain, représenté par les installations sportives et les conditions de la pratique enveloppant les activités du système "entraînement-compétition" et plus globalement, la vie des acteurs, c'est-à-dire athlète, entraîneur, dirigeant, etc., est généralement déconnecté des réalités de la pratique du sport moderne. Cet environnement est lui-même relié au contexte, cadre continuellement changeant et évolutif, dans lequel se jouent les situations d'entraînement-compétition. Exemple : si au basketball les joueurs s'entrainent sans l'affichage du chrono des 24 secondes, il est illusoire d'espérer qu'ils le prennent en compte durant la compétition; ainsi, ce contexte globalement défavorable se traduit en permanence dans les interactions entre l'environnement sportif et les actions d'entraînement qui influencent beaucoup le comportement de l'entraîneur et les capacités technicotactiques ou perceptivo motrices des sportifs.

Par conséquent, La Psychologie du Sport et la performance en Afrique! est une opportunité de prise de connaissance des évolutions théoriques, pratiques, et des techniques d'application des théories élaborées dans le domaine, d'échanger les expériences en matière de préparation psychologique des athlètes dans le contexte sportif africain et d'ailleurs. Il se veut donc le germe d'une production psycho-socio-ethnocentrée jusque-là démunie de contenu adapté à l'intervention dans le contexte africain et qui prend en compte les représentations sociales, les préjugés, le fait culturel et cultuel.

Bien que la majorité des sportifs européens vivent dans un monde où les forces diverses de la relation du sport et de la société peuvent être étudiées sur la base du tangible, en Afrique, certains des effets et des causes du sport échappent fréquemment aux moyens d'observation directe, voire indirecte.

Pour les analystes du sport en Afrique, le monde des esprits et des ancêtres, celui des marabouts et sorciers, exige une appréciation nuancée et mise en contexte de la causalité sportive.

De ce fait, La Psychologie du Sport et la performance en Afrique! essai de montrer que les pratiques magico-religieuses nécessiteraient d'être examinées sous l'angle d'un moyen d'arriver à des performances sportives chez bon nombre d'acteurs sportifs africains (dirigeants, athlètes, entraineurs et même psychologue de sport).

Ainsi, il est plus qu'opportun de montrer comment le sport est influencé par le "monde obscur", même si les facteurs de performance physiques et technicotactiques sont valorisés. Pour ce faire, l'analyse portera sur plusieurs étapes.

Après cette introduction générale (1) où on explique les raisons de ce sujet et revisite la question de l'importance de l'intervention, le sport (2), la face cachée du sport (3) et le sport en tant que reflet de la société (4) seront revus. Ensuite, la genèse de la psychologie du sport (5) sera examinée. Elle sera suivie de l'examen de la psychologie du sport selon les perspectives anglosaxonnes (6) et africaines (7). Puis, l'économie de ses atouts et limites dans le contexte africain sera exposée, suivie d'une approche par la proximité (8). Enfin, la conclusion générale (9) mettra fin à ce livre.

1.2. De la nécessité d'une intervention

ÊTRE PSYCHOLOGIQUEMENT compétant! N'est-ce pas là un vœu que tous les entraîneurs souhaiteraient voir se réaliser à l'endroit de leurs athlètes? Les facteurs de la performance sont nombreux et les qualités psychologiques ont toujours été citées avant, pendant et après les compétitions, ou après les entraînements, par les entraîneurs et par les joueurs. D'ailleurs, il semblerait que la surexploitation des composantes physiques, techniques et tactiques pousserait les entraîneurs à chercher des appoints ailleurs (Williams, 2006). En effet, les entraîneurs, les joueurs de même que les chercheurs, constatant une stagnation du progrès dans le domaine des capacités physiques, technicotactiques et stratégiques chez les sportifs, s'orientent pour la plupart vers d'autres pistes, et souvent du côté de la psychologie.

Ainsi, les chercheurs et praticiens du domaine portent un grand intérêt aux qualités psychologiques ou mentales des sportifs. Il arrive qu'un entraîneur soit frustré lorsqu'il travaille avec des sportifs qui excellent à l'entraînement mais peinent à donner le meilleur d'eux-mêmes en compétition (Martens R., 2004). Il y a également les sportifs à qui on attribue de gros potentiels mais qui ne parviennent pas à atteindre le niveau attendu en raison de problèmes jugés "psychologiques". Inversement, certains athlètes rencontrent d'énormes difficultés à l'entraînement mais arrivent à atteindre des niveaux de performance contre toute attente. Aussi, certains sportifs évoquent toujours l'importance de l'aspect psychologique ou mental à la fin d'une compétition. C'est pourquoi Orlick & Partington (1988) avaient affirmé que " *lorsque les sportifs atteignent des niveaux de performance élevés après avoir maitrisé les aspects techniques de leur sport, la différence entre gagner et perdre ou bonne et mauvaise performance se situe au niveau des qualités psychologiques* ".

Une autre question qui a intéressé les chercheurs et praticiens du domaine est la capacité des sportifs à apprendre les habiletés mentales ou psychologiques.

Ÿ Peuvent-ils apprendre et entraîner ces habiletés mentales ou psychologiques de la même manière qu'ils apprendraient des habiletés techniques?

Ÿ Les qualités psychologiques peuvent-elles être soumises à une évaluation ?

La réponse la plus courte est oui. En effet, il existe dans le domaine un grand nombre de recherches scientifiques qui a démontré que l'intervention psychologique peut influencer positivement les pensées et les sentiments qui eux-mêmes influencent la performance. Selon Fournier & *al.*(2005), le processus d'apprentissage des qualités d'autorégulation liées à l'imagerie mentale, la relaxation, la pose des objectifs, le discours interne, le contrôle de l'attention, le contrôle de l'émotion, l'activation, etc.) est reconnu comme l'entraînement des qualités mentales ou en anglais Psychological Skills Training (PST). Le PST se défini comme étant : "*L'entraînement systématique et constant des qualités psychologiques dans le but d'améliorer la performance ou l'autosatisfaction de la pratique du sport et de l'activité physique*" (Weinberg & Gould, 2014, p250).

Dans cette optique, le débat a été alimenté par les représentations idéologiques portant sur les facteurs psychologiques. D'un côté, on tente de savoir si ces derniers sont favorisés par le sport ou c'est le sport qui apporte des bénéfices aux pratiquants, d'un autre. En réalité, c'est un problème à double sens puis que les athlètes qui ont certaines qualités mentales bénéficient de la confiance dans la pratique tandis que les facteurs psychologiques permettent de diminuer le stress et augmente l'estime de soi par exemple. Ainsi, la haute performance en sport impliquerait certainement, de la part des athlètes, une prise en compte et une gestion efficace des composantes psychologiques aussi bien à l'entraînement qu'en compétition. La manipulation de ces variables nécessite la prise en compte des conditions d'entraînement et de compétition mais aussi l'existence ou non de programmes de formation dédiés à la préparation psychologique aussi bien chez les entraîneurs que chez les sportifs.

Au-delà de cette perspective scientifique de prise en charge des athlètes, jusqu'à quel niveau un crédit pourrait-il être accordé au non-scientifique? Jusqu'à quel niveau les croyances magico religieuses pourraient-elles concurrencer l'approche scientifique".

2. Le Sport

Exégèse[1] du concept de sport basé sur une perspective dynamique, complexe et controversée de portée psychosociologique.

Après s'être débarrassé de cette vision traditionaliste et philosophique d'une opposition entre l'esprit et le corps, mais aussi d'une tentative d'être réduite à un simple spectacle, le sport, défendu par ses partisans qui lui accordent des pouvoirs de pacification et de régulation des conflits, cherche encore à convaincre les plus pessimistes. Sa longévité dans l'espace public, consacrée par les jeux olympiques de la Grèce antique, régulièrement organisés tous les quatre ans, pendant onze siècles, de 776 avant Jésus-Christ jusqu'en 393 de notre ère, puis repris quinze siècles plus tard, en 1896, est la preuve de la vigueur de cette institution qui est le sport. Depuis longtemps, les participants aux activités physiques et sportives et du jeu bénéficient des avantages de ses fonctions de socialisation, de personnalisation, et d'éducation si évidentes.

Cependant, la société contemporaine fait face à des maux divers issus du rapport complexe qu'entretienne le sport aux institutions diverses telles que la politique, l'économie, mais son implication dans les questions liées à la corruption, au dopage, à la xénophobie, à la religion et aux médias. Seulement, la violence dans les stades, avant, pendant et après les matches, semble s'octroyer le gros du lot.

A ce titre, Marsh, en analysant l'ordre social caché derrière la turbulence des spectateurs de football britanniques, voit les tribunes des stades comme un lieu où s'exprime la frustration collective d'une jeunesse à qui la société n'offre pas beaucoup de possibilités d'épanouissement (Marsh & Frosdick, 2005). Il faudra une vision plus large, englobant les perspectives des sciences qui se sont mises à l'étude du sport, dans diverses disciplines comme la sociologie, l'anthropologie, l'éducation, la philosophie, la psychologie et les sciences du sport, pour arriver à cerner la question et dévoiler sa face cachée, objet du chapitre 1. De plus, la performance, qui est la finalité du sport de haut niveau, fera l'objet d'une analyse au chapitre 2 dans lequel les facteurs déterminants et qui influencent le résultat sportif y seront explicités.

2.1. Definition du Sport

Il est toujours difficile de faire une interprétation et un commentaire détaillé sur des sujets à discussion et qui font l'objet de controverse. Le sport tomberait dans ce lot de sujet, d'où l'intérêt de conduire cette exégèse. En effet, la plupart des écrits consacrés à ce sujet et les dictionnaires spécialisés affirment que le Sport vient du vieux français "*Desport*" qui signifie divertissement, plaisir physique ou de l'esprit. Ce terme devient SPORT grâce aux anglais dés 1831 et sa définition exclut les jeux de société ou de l'esprit. Il serait simpliste de s'arrêter à ce niveau primaire de définition puis que ce terme est galvaudé et utilisé par des secteurs et domaines différents. De ce fait, une critique des concepts liés à ce terme donnerait une visibilité substantielle à ses contours. Sans rentrer dans l'histoire lointaine du sport depuis la Grèce et la Rome antiques, le sport moderne se définirait par quatre éléments indispensables. A ce titre, on ne devrait utiliser ce concept de sport que lorsque ce dernier est, d'abord, institutionnalisé.

Ainsi, le comité international olympique (C.I.O.) est l'instance suprême qui dirige le sport et elle est soutenue par les comités nationaux olympiques (C.N.O.) et les fédérations internationales. Dans certains pays, on note l'existence d'associations sportives qui se retrouvent autour de fédérations nationales. Ensuite, le sport doit être règlementé (code de jeu). Puis, Il faut une Mise en œuvre d'une ou de plusieurs qualités physiques ou mentales donc nécessite un effort. Et enfin, il doit être organisé sous forme de compétition. La définition la plus simple et superficiellement accessible serait celle-ci: "Le sport correspond à un ensemble d'activités physiques se présentant sous forme de jeux individuels ou collectifs, donnant généralement lieu à des compétitions pratiquées en observant certaines règles précises" (Larousse). Une définition réductrice dans la mesure où le sport est quand même exclusif puis qu'il faudra remplir certains critères et adhérer à certaines normes pour y participer. Sur cette base, la définition la plus appropriée serait: "Le sport est une activité qui requiert un **effort physique et/ou mental,** encadré par un certain nombre de **règles** et coutumes. La plupart du temps l'activité sportive est **institutionnalisée** et se déroule dans un cadre **compétitif**". Dans ce sens, le sport moderne pourrait se définir en réunissant les quatre éléments indispensables suivants:

D'abord, il doit être <u>institutionnalisé</u> et reconnu par le comité international olympique (CIO). Le Comité International Olympique est le gardien des Jeux Olympiques et le chef de file du Mouvement olympique. C'est une organisation mondiale qui agit comme un moteur de collaboration entre toutes les parties prenantes olympiques, notamment les athlètes, les Comités Nationaux Olympiques, les différentes Fédérations Internationales, les comités d'organisation des Jeux Olympiques, les partenaires olympiques mondiaux et les partenaires de diffusion des Jeux. Il coopère également avec les autorités publiques et privées, en particulier l'Organisation des Nations Unies (ONU) et d'autres organisations internationales. Puis le sport doit être <u>réglementé</u> (code de jeu). Ensuite, il faut une <u>mise en œuvre d'une ou de plusieurs qualités physiques ou mentales</u>. Enfin, il faut une organisation sous forme de <u>compétitions</u> et où les compétiteurs ont les mêmes chances de succès. Les compétitions sont nombreuses et les plus prestigieuses sont les Jeux olympiques, les Championnats du monde, les Championnats continentaux (Afrique, Asie, Amérique, Europe, Océanie). Il faut noter également les Championnats nationaux organisés par les fédérations nationales. Dans certains pays, on remarque l'existence de compétitions universitaires, scolaires, militaires et de corporation.

En résumé, le sport est une activité qui requiert un *effort physique et/ou mental*, encadré par un certain nombre de *règles* et coutumes. La plupart du temps l'activité sportive est *institutionnalisée* et se déroule dans un cadre *compétitif*. Il a pour finalité la recherche du *résultat* et de la *performance*. Le sport, ainsi, par ses quatre éléments influencerait positivement les comportements des jeunes et des adultes dans leur vie quotidienne et apporte une plus-value dans la société en contribuant à l'écosystème. D'ailleurs plusieurs auteurs ont démontré que le sport centraliserait certaines valeurs dont la compétitivité, le fairplay, la fraternité, le respect de l'autre, le leadership, la confiance en soi, la persévérance, etc.

Dans le contexte sénégalais, cette définition serait de nature à exclure certaines activités traditionnelles et culturelles qui se sont transformées et réclament la notion de sport sans pour autant s'aligner aux principes fondamentaux. La lutte avec frappe tomberait dans ce cas et une analyse profonde sera faite au chapitre 1 afin d'apporter de la lumière. Cependant, le sport est souvent associé à l'activité physique, créant ainsi une certaine polémique chez les non-initiés.

2.2. Le point sur le Sport et l'Activité Physique

Si la définition proposée ci-dessus ne prêterait à aucune confusion, il est important de définir l'activité physique afin de faire sa distinction avec le sport. En réalité, le sport est une forme d'activité physique. Mais elle est associée à une recherche de résultat, d'objectif à atteindre voire de performance dans un contexte de compétition, ou à une forme ludique recherchant à prendre du plaisir seul ou en groupe. La pratique sportive de loisirs ou de compétition se veut individuelle ou collective. Cependant, l'activité physique est l'ensemble des mouvements du corps produits par les muscles, entraînant une dépense d'énergie supérieure à celle qui est dépensée au repos.

Explication somme toute assez simpliste puis qu'il comprendrait les taches de la vie quotidienne, comme le ménage, le jardinage, les courses, le travail physique, le vélo, la marche, la montée des escaliers, etc. Ce sont des exercices physiques quotidiens. Néanmoins, en France, dans les années 1970 et années 1980, on parlait d' "activités physiques et sportives" (APS); puis dans les années 1990, les programmes officiels français de l'EPS, y associent le qualificatif "artistique".

Dans certains pays africains comme le Sénégal, le développement, l'organisation et le contrôle des APS sont du ressors de la Direction des APS logée au Ministère des Sports. Les "Activités physiques, sportives et artistiques" (A.P.S.A) concernent toutes les activités motrices utilisées comme moyen pour l'EPS et ayant une représentation culturelle. On y rencontre des activités codifiées, comme les sports collectifs, les sports de combat, les sports de raquette, les activités artistiques, etc. Pour ce qui concerne les activités non codifiées, de détente et de loisir, on recense : le jogging, la marche à pied, le jeu, etc. Elles ne sont pas obligatoirement institutionnalisées, pouvant impliquer des jeux de sociétés et des sports de loisir. Elles peuvent ne pas être réglementées officiellement. Dans ce cas, elles répondent à une logique interne où les membres s'accordent du déroulement du jeu. C'est le cas des matchs de football organisés dans la rue et où on fait une pause pour laisser passer les voitures où les personnes âgées.

Au Sénégal, le terme "petits camps" est souvent employé et les règles varient souvent les quartiers où les régions. Les jeunes s'adonnent à cette activité physique pendant les heures libres où ils ne vont pas à l'école. Par exemple, on peut s'accorder d'aller à la mi-temps après trois (3) buts et de finir le jeu après 6 buts. Ce qui se traduit en langue sénégalaise Wolof: *"trois mi-temps, 6 tasses"*. Une règle assez précise sur un terrain délimité en fonction de l'espace disponible, où les murs des maisons font partie du terrain.

L'inconvénient est que la logique du nombre est au-dessus de la logique temporelle puis que cela peut prendre quelques minutes ou des heures avant que le match ne se termine. Il faudrait prendre en compte l'heure de repas où un des participants pourraient être appelés pour le déjeuner, ou être envoyé faire des courses, où répondre à l'enseignant pour les cours à domicile. Cela n'arrêtera pas le jeu, il faut juste changer les règles en diminuant le nombre de participants. Ce qui arrêtera le jeu par contre c'est le ballon qui risque d'être confisqué lorsqu'il rentre dans une maison où la voix du muezzin[2] l'appel à la prière du Maghrib[3] (Timis en Wolof).

Photo de jeunes jouant dans la rue, Source: The Big Picture-Boston.com

Les activités physiques participent à la construction de l'être humain sur le plan psychologique et social puis qu'elles favorisent sa socialisation et sa personnalisation. Les bienfaits sur le plan de la santé sont nombreux aussi bien chez les jeunes (enfants et adolescents), chez les adultes (18-64 ans), que chez les seniors (65 ans et plus). Les activités physiques comme les randonnées pédestres (la marche) et le jogging, pratiqués régulièrement, pendant 1h-2h, de manière intense, modérée ou soutenue, permettent de protéger contre les maladies cardiovasculaires, réduit le risque de diabète, attenue l'anxiété et la dépression, améliore la qualité du sommeil, renforce le système immunitaire, et favorise la santé musculaire et osseuse (OMS[4]).

Cependant, les activités physiques peuvent simplement être règlementées localement c'est-à-dire sur le plan national et obéissent à une logique traditionnelle. Ce sont des activités physiques dont le code de jeu est administré par une instance locale avec une attache relative et facultative avec les fédérations internationales. En effet, les règles peuvent changer en fonction de la culture. C'est le cas de la course de pirogue et de la Lutte traditionnelle originaire d'Afrique de l'Ouest. Elle est pratiquée au Sénégal, au Niger, au Burkina Faso, au Togo. Pour remporter un combat, il faut mettre son adversaire à l'extérieur d'un anneau ou le renverser. Certaines règles peuvent varier d'un pays à l'autre. C'est le cas du poinçonnage qui n'est pas autorisé partout ou de la frappe qui est permise au Sénégal (lutte avec frappe où Lamb Door en Wolof[5]), ou au Niger (Dambé[6]). S'il y a un point commun partagé par le sport et l'activité physique c'est bien la mise en œuvre d'une ou de plusieurs qualités physiques (effort physique, dépense d'énergie).

Toutefois, l'institutionnalisation, le code de jeu, et l'organisation des compétitions, critères essentiels qui définissent le sport, tendent à exclure par exemple la lutte avec frappe, du champ sportif puis qu'elle ne répondrait point aux exigences. Entendons-nous bien sur le terme de ***LUTTE AVEC FRAPPE*** (où les coups de poings sont permis) qui n'a rien à voir avec la LUTTE AFRICAINE et la LUTTE OLYMPIQUE (Gréco-Romaine). Plusieurs problèmes pourraient expliquer cette réticence présomptive. Partant de sa définition, selon le site du Comité National de Gestion de la lutte Sénégalaise (CNG), consulté le 28 mars 2023 à 12h49 GMT.:

LA PSYCHOLOGIE DU SPORT ET LA PERFORMANCE EN AFRIQUE

"La lutte au Sénégal est une pratique sportive ayant rang de " rituel communautaire ", entrant ainsi en relation fonctionnelle avec la culture, l'artisanat et le tourisme. La lutte est un sport national qui, depuis le début, offre un riche champ d'expression culturelle (chants et danses des terroirs), de créativité artisanale (nguimb, gris-gris, attirail mystique) et d'attraction populaire (tourisme local)".

La lutte avec frappe est considérée comme un sport de combat. Comme pour tout sport, la lutte avec frappe peut être considérée comme une activité physique, mais elle est aussi un sport compétitif avec des règles et des tournois organisés sur le plan national. Actuellement, la lutte avec frappe, telle qu'elle est pratiquée au Sénégal et dans d'autres pays d'Afrique de l'Ouest, n'est pas un sport olympique. Les sports olympiques sont choisis par le Comité International Olympique (CIO) et doivent répondre à certains critères, tels que la popularité mondiale, la participation de sportifs de différents pays et continents, et la présence d'une fédération internationale reconnue.

Cependant, la lutte en tant que telle est un sport olympique traditionnel qui a été présent depuis les premiers Jeux Olympiques de l'ère moderne en 1896, et qui continue d'être inclus dans le programme olympique. Il existe deux styles de lutte reconnus aux Jeux Olympiques : la lutte libre et la lutte gréco-romaine, qui sont pratiquées dans des compétitions distinctes. Il est possible que la lutte avec frappe soit considérée pour une éventuelle inclusion aux Jeux Olympiques à l'avenir, mais cela dépendrait de nombreux facteurs, tels que la création d'une fédération internationale reconnue pour la lutte avec frappe et la popularité de ce sport dans le monde entier, mais aussi de la catégorisation de poids et de son accessibilité aux plus jeunes.

Les conditions de la compétition et de la pratique devraient certainement être repensées avec l'obligation de porter des gants qui protègent les métacarpes et ls phalanges, les phalangines et les phalangettes pouvant rester libres pour permettre une meilleure préhension (c'est une question d'hygiène afin d'éviter la contamination par le sang), mais aussi le port de protège-dents, et de casques adaptés. Force est de reconnaitre que la lutte sans frappe offre des opportunités d'éducation sur le plan physique, sportif, et psychosocial, mais aussi assez d'outils pédagogiques prompts à l'enseignement. C'est le passage entre la lutte sans frappe et la lutte avec frappe qui nécessite un cadrage institutionnel, permettant un passage d'un statut d'amateur à professionnel.

CHEIKH SARR

2.3. La face cachée du sport moderne

POUR AMÉLIORER LES conditions de vie des hommes, les sociétés ont toujours opéré des transformations sur le plan économique, technologique et socio-culturel. Sur cette base, les activités physiques et sportives ont subi des changements et ont évolué pour répondre aux exigences toujours grandissantes d'une société de consommation. Aujourd'hui, le consensus est obtenu sur la grande place qu'occupe le sport dans cet écosystème dont le maitre mot est la performance. En conséquence, plusieurs valeurs, sans être exhaustif, lui sont reconnues. On lui accorde de jouer un rôle important dans la vie et de contribuer à la construction sociale des individus (CROSNIER, 2004). Certes, les fonctions manifestes du sport dans une société sont représentées par la forme physique et la socialisation des individus à la valeur du travail acharné, du travail d'équipe (coopération) et de la compétition. Les fonctions latentes comprennent le développement du caractère par la participation au sport et une libération émotionnelle de l'activité physique. Aussi, il a été prouvé qu'il améliore l'estime de soi, la confiance en soi et réduit la dépression et l'anxiété en général même si certaines situations de compétitions peuvent conduire à un état de pression, de stress et de doute. De plus, le sport encouragerait le fairplay et aurait la propension à impulser la réflexion, le respect de l'autre, le leadership, la confiance en soi, la persévérance et l'estime de soi. En plus, "Le sport est un microcosme[7] (Boxill, 2003) de la vie", a déclaré Rollins: "*Ce que vous faites dans le sport, vous finirez par le faire dans la vie. Il peut y avoir des frustrations, des moments heureux, des moments difficiles et des hauts et des bas. Le sport vous aide à vous préparer à ces expériences de vie*".

Le sport est souvent considéré comme un microcosme de la société parce qu'il reflète et renforce bon nombre des mêmes valeurs, croyances et attitudes qui existent dans la société dans son ensemble.

D'abord, dans le sport, comme dans la société, il y a des dynamiques de pouvoir et des hiérarchies en jeu. Par exemple, dans le sport, il y a des athlètes d'élite et des équipes qui dominent, tandis que d'autres luttent pour rivaliser, tout comme dans la société, il y a ceux qui sont puissants et ceux qui sont marginalisés. Ces deux entités que sont le sport et la société ont des règles et des règlements qui sont mis en place pour assurer l'équité et l'ordre, sur la base de systèmes qui fait respecter ces règles (sous peine de sanctions), comme les arbitres dans le sport et les forces de l'ordre, les magistrats dans la société.

Ensuite, le sport et la société exigent tous deux un équilibre entre compétition et coopération. En effet, dans le sport, les équipes et les individus s'affrontent pour gagner, mais ils doivent également travailler ensemble pour réussir puis qu'il n'aurait point de compétition sans opposition. De même, dans la société, les individus et les groupes se disputent les ressources et les opportunités, mais ils doivent également coopérer pour atteindre des objectifs communs. Une des répliques du sport est la diversité puis que le sport peut également être le reflet de la société en termes de représentation, comme la représentation des différentes races, le sexe et l'orientation sexuelle. La représentation de ces groupes dans le sport peut également influencer la représentation dans la société.

Puis, certaines valeurs culturelles et sociétales d'une communauté ou d'une société donnée peuvent se retrouver dans le sport. L'exemple de la Chine ou du Japon, montre que des sociétés qui valorisent le travail d'équipe et la discipline, valorisent ses caractéristiques chez ses athlètes.

Enfin, une société qui accorde une grande importance à la réussite individuelle pourrait également valoriser la réalisation individuelle de ses athlètes.

Pour toutes ces raisons, son ancrage dans nos us et coutumes est profond, d'où sa prise en compte par les instances politiques et organisations mondiales. Ainsi, le sport semble donc être très important dans nos sociétés modernes dont il partage certaines finalités tel que le *résultat et la performance*. Fort de cela, en juillet 2002, le Secrétaire Général des Nations Unies a mis sur pied une équipe de travail inter institutions pour examiner les activités faisant appel au sport. La principale conclusion de ce travail montre que: *"des activités sportives bien conçues sont des outils pratiques et économiques pour réaliser les objectifs de développement et de paix".* Au Sénégal, la loi n°84-59 (Senghor, 2009) portant charte du sport stipule:

Article premier: la pratique sportive vise l'éducation, la formation, et l'amélioration de la santé physique et morale des pratiquants. Elle participe également à l'amélioration de la qualité de la vie.

Article 2: l'État et les collectivités publiques et privées créent les conditions préalables et les institutions qui garantissent la pratique sportive amateur, pluridisciplinaire et démocratisée, principalement sous forme: d'éducation physique et sportive, facteur d'éducation, d'hygiène corporelle et de santé de la jeunesse; de sport récréatif, facteur de détente, de loisir et d'animation de masse; de sport de compétition, facteur de formation, d'émulation et d'épanouissement physique et moral des individus.

Ce sport de compétition, cité ci-dessus dans l'article 2, a entrainé des exigences, qui ont elles-mêmes influencé la naissance de sciences nouvelles pour apporter des réponses aux différentes interrogations soulevées par les acteurs du monde sportif. Beaucoup de disciplines scientifiques comme la psychologie, la sociologie, les sciences économiques, la médecine, les sciences juridiques et autres, s'appliquent à cette activité avec le même dénominateur commun: "SPORT". Elles ont envahi le monde de la compétition en vue de créer et de soutenir les conditions de performance. Il s'agit du Management du Sport, de la Médecine du Sport, de la Sociologie du Sport, de l'Économie du Sport, du Droit du Sport, du Marketing du Sport, de la Psychologie du Sport, etc.

Le sport contribuerait donc au développent de beaucoup de secteur d'activités de la vie, au bien-être aussi bien physique que mental des populations, indépendamment de l'âge, du sexe. Afin de comprendre le milieu du sport, il semble impératif d'analyser les rapports complexes qu'il entretient avec la société et toutes les dérives qui peuvent influencer les sportifs qui évoluent dans un environnement de plus en plus infecté de problèmes de toutes sortes. Il semble donc plus qu'opportun de considérer une investigation afin d'analyser les problèmes qui affectent les sportifs et de procéder à une meilleure prise en charge

Parler de sport, c'est exposerautant l'utilité du sport dans la société que ses vices. Pour certains acteurs et observateurs, le sport représente une activité saine et productive, qui apporte de la joie et du plaisir aux peuples, crée de l'emploi et aide à améliorer la santé des participants en général. Sa capacite d'unifier et de fraterniser est incontestable et répondrait à un besoin d'impulsion de la cohésion d'une nation (aussi bref que cela puisse être), de créativité et de production d'emploi. Si beaucoup d'acteurs approuvent cette position, pour d'autres, le sport aurait une face cachée et le regardent sous un autre angle et considèrent qu'il alimente le racisme, attise l'intolérance et la discorde au sein des sociétés et entre leurs peuples.

Certains auteurs ont tenté d'analyser les grandes malversations et les principales dérives en dressant une typologie des manipulations et dérives du sport.

Il s'agit

"du non-respect des règles du jeu, tricheries, manipulations technologiques en passant par des dysfonctionnements économiques qui violent les règles de bonne gestion, le droit des affaires ou contournent le droit commun (évasion fiscale, blanchiment) ; et des distorsions du sport qui portent atteinte aux droits de l'Homme ou au droit du travail, par discrimination économique" (ANDREFF, 2021).

Selon cet auteur,
"les manipulations les plus dangereuses pour l'avenir du sport s'exposent à des sanctions graves, voire pénales, mais insuffisamment dissuasives :
- la corruption par des insiders du sport et dans ses instances dirigeantes,
- les matches truqués,
- les fraudes aux paris sportifs
- le dopage endémique". (ANDREFF, 2021)
Cette situation ambivalente nous interpelle au plus haut point sans avoir la prétention de trouver des réponses exactes. Néanmoins, l'analyse suivante tentera de faire l'exposé du sport dans tous ses différents aspects.

2.4. Le sport, un reflet de la société

Dis-moi dans quelle société tu vis, je te dirais comment ton sport sera!
LE PSYCHOLOGUE DU SPORT joue un rôle crucial dans l'amélioration de la performance des athlètes et des équipes sportives. Pour bien remplir cette fonction, il est important qu'il soit imprégné des enjeux contemporains ou permanents, de la situation politique et économique et social des acteurs, de leur profil et des défis auxquels le sportif pourrait être appelé à faire face.

En tant que microcosme de la société (Boxill, 2003), le sport représente donc l'ordre social en miniature, une portion de vie et expose cette portion sous une forme exagérée et dramatique, un peu comme une pièce de théâtre qui dramatise un épisode de la vie. Le sport reflète la société, ses vertus et ses vices, mais contrairement au miroir, qui est passif, le sport est actif. Cette affirmation de Jan Boxill permet de penser qu'il est plus que légitime de reconnaitre que les conditions du déroulement de la pratique ainsi que l'environnement sportif, en plus des problèmes liés à la violence, aux médias, à la politique, au racisme, à la corruption et au dopage, peuvent avoir un réel impact sur la participation et la performance du sportif. Une analyse psycho-sociologique de ces questions semble donc nécessaire pour permettre au psychologue du sport d'avoir une bonne perception de l'actualité ou des réalités et de pouvoir réagir significativement sur les évènements (accidents, ennuis, malheurs, mésaventures, imprévus, etc.).

Ainsi, le reflet de la société affecte le sport de plusieurs façons, dans le sens où il y a une signification morale perceptible. En effet certains aspects sont plus accentués dans une société que dans une autre.

D'abord sur le plan de l'équité. Cette dernière est la qualité consistant à attribuer à chacun ce qui lui est dû par référence aux principes de la justice naturelle ; on parle d'impartialité lorsqu'il y a un manque d'équité. C'est donc le caractère de ce qui est fait avec justice. Cependant, l'équité dans les compétitions sportives ne peut exiger, à l'évidence, que les athlètes soient égaux à tous égards. Mais elle se révèle souvent une valeur morale positive favorable à la performance via le principe d'adaptabilité et donc de flexibilité. L'égalité des chances est une des approches qui permet de cerner l'équité. A vrai dire, la pertinence de l'égalité des chances est palpable dans bien des cas lorsqu'il s'agit de mettre les athlètes dans les mêmes conditions de compétitions par exemple. La question est plutôt du côté de la préparation dont l'athlète n'aurait aucun contrôle car les moyens déployés et les ressources disponibles ne dépendent pas de lui, ce qui affaiblit les capacités à la performance, et donc l'égalité des chances.

2.5. La violence associée au fait sportif

La violence peut avoir un impact significatif sur le sport, tant sur le terrain qu'en dehors. Elle est définie comme ce qui agit sur quelqu'un contre son gré ou ce qui fait agir quelqu'un en utilisant la force. Elle est liée au respect des droits humains car à chaque fois qu'un droit est violé, il y a violence. La violence est considérée donc comme l'utilisation de force ou de pouvoir, physique ou psychique, pour contraindre, dominer, tuer, détruire ou endommager. Elle implique des coups, des blessures, de la souffrance, ou encore la destruction de biens humains ou d'éléments naturels. Si elle est exercée dans beaucoup de secteur de la vie en générale, elle est bien présente dans le sport et plusieurs exemples le démontrent. Elle a un impact indiscutable sur le sport et fera l'objet d'une analyse dans cette rubrique.

La violence pose un risque sérieux pour la sécurité des sportifs. Cela inclut, autant dans les sports individuels que dans les sports collectifs, des actes de violence intentionnels, tels que des combats, ainsi que des collisions ou des blessures accidentelles. Dans les sports de contact comme le football ou le hockey, les joueurs sont plus à risque de se blesser en raison de la nature physique du jeu. Ce risque est plus accru dans des sports comme la boxe, la lutte (le Dambe au Niger, la lutte avec frappe au Sénégal, par exemple).

La question de la sécurité se pose également au niveau des spectateurs lors d'événements sportifs. Cela peut inclure des cas de violence des fans, tels que des bagarres ou des émeutes, ainsi que des accidents causés par la surcharge des gradins (nombre de billets vendus supérieur au nombre de place possible) ou des mesures de sécurité inadéquates.

Aussi, les incidents de violence peuvent nuire à la réputation d'une équipe ou d'une organisation sportive, ainsi qu'à la réputation du sport lui-même. Dans certains cas, les sponsors ou les investisseurs peuvent hésiter à s'associer à une équipe ou à un sport réputé violent. De tels incidents et actes de violence dans le sport peuvent entraîner des conséquences juridiques, des sanctions financières, des atteintes à la réputation et, dans certains cas, des peines de prison pour les personnes impliquées. On se rappelle encore le cas de Gilbert Arenas, devenu tristement célèbre, pour avoir introduit des armes dans les vestiaires en 2009 après que les tensions se sont intensifiées lors d'un jeu de cartes dans lequel 1 100 $ ont été misés. Aujourd'hui, l'incident de l'arme à feu d'Arenas contre son coéquipier Javaris Crittenton des Washington Wizards, il y a près de 13 ans, sert toujours de repère quand il s'agit de sujets portant sur les différends entre coéquipiers au niveau de la NBA.

Une question cruciale porte sur le comportement des supporters. En effet, la violence a un impact sur leur comportement, puis qu'elle a maintes fois entraîné une hostilité accrue entre des groupes de supporters rivaux ou faisant en sorte que certains supporters se sentent en danger ou mal à l'aise d'assister aux événements sportifs. Des cas d'incidents violents causés par le comportement de supporters ont marqué des esprits. Le drame du Heysel, survenu le 29 mai 1985 au Stade du Heysel de Bruxelles (Belgique), est l'une des tragédies les plus marquantes liées à une manifestation sportive, et due à l'hooliganisme. Elle avait comptabilisé 39 morts et 454 blessés. Aussi, au Sénégal, la rencontre de football opposant l'US Ouakam (Dakar) et le Stade de Mbour qui s'était jouée au stade Demba Diop de Dakar a fait 8 morts et 97 blessés suite à un mouvement de foule provoqué par une bagarre entre supporters.

Par conséquent, la violence a un impact significatif sur le sport, autant sur la sécurité des joueurs, que sur la réputation des équipes et des organisations. Des efforts visant à prévenir la violence, tels que des mesures de sécurité renforcées (caméras de surveillance), de la prohibition de l'alcool dans les stades, d'identification des fauteurs de troubles potentiel mais aussi des modifications des règles du jeu, peuvent contribuer à atténuer ces impacts et à assurer la sécurité et le plaisir des athlètes et des spectateurs.

Le sport a eu, depuis toujours, des fonctions socio-culturelles et éducatives importantes. Il n'échappe à aucun secteur de la vie et intéresse les politiques. A ce titre, il entretient des rapports complexes avec les structures politiques et sociales, contribuant même à donner une identité à certains pays ; exemples : le football pour le Brésil et l'Angleterre, le basketball pour les USA, le judo pour le Japon; etc. Ainsi, certaines des missions du sport sont de réunir les peuples en réduisant les barrières géographiques lors des compétitions, de promouvoir les valeurs de fairplay, de respect de l'autre dans la concurrence. Pour cette raison, l'industrie du sport offre des heures de divertissement sans fin appréciées par les nombreux fanatiques. Beaucoup utilisent le sport pour s'éloigner des réalités de la vie quotidienne ou pour se distraire. D'autres regardent religieusement leur sport ou leur équipe et restent investis dans les compétitions. Si ces missions sont réussies dans la plupart des cas, force est de constater que la question de la violence associée au fait sportif, est plus que jamais d'actualité. La violence a plusieurs fois marqué son apparition lors des évènements sportifs, avant, pendant et après les compétitions, créant des tensions qui débouchent sur toutes sortes de dérives.

Quelles en sont les causes? Certainement parce que ces compétitions, lieux de rencontre, d'opposition, d'antagonisme et de combat qui accueillent un public divers, ne sont rien d'autre que la réplique d'un monde de plus en plus violent. Un monde de concurrence, de sélection, d'ostentation, d'extraversion, d'arrogance, de l'intimidation et de la performance. Le sport en lui-même constitue une très grande source de division puisqu'il rassemble les gens lorsqu'ils sont fans d'une même équipe et les divise lorsqu'ils soutiennent des équipes différentes.

Sur cette base de rivalité, le sport divise en même temps les pays, les régions, les villes, les quartiers et les familles, ainsi, le désir de gagner encouragerait l'intolérance et créerait des embrouilles au sein des sociétés et entre leurs peuples. De ce fait, la violence peut être le reflet d'une tension d'ordre politique, comme c'est le cas de la rencontre entre le Dynamo de Zagreb (Croatie) et l'Etoile Rouge de Belgrade (Serbie), le 13 Mai 1990, qui avait fait de nombreux blessés lors de violences après-match. En effet, le sport peut être un instrument de division basé sur le principe de récompenser le meilleur, donc il y a une logique de séparer le meilleur de tous les autres. C'est le lieu où les sportifs sont divisés en plusieurs niveaux, en sport professionnels et amateurs, en première ou deuxième division, etc.

La compétition elle-même est un facteur d'opposition, même si les fans sont dans un même stade, ils sont quand même séparés et s'opposent les uns contre les autres, par tous les moyens. Si certains se contentent de crier le nom de leurs idoles, d'autres s'organisent en comité en faisant croire que *"la bataille se gagne dans les gradins".* Dans certains pays africains, ils mettent la pression sur l'autorité politique et en ont fait un droit au même titre que les acteurs eux-mêmes. La division est évidente, c'est pourquoi il y a des juges et des arbitres. Le sport génère une division entre les riches et les pauvres car seuls les riches pratiquent généralement le golf ou bien les sports de courses automobiles ou de motocycles. Alors que les plus pauvres *se contentent* des sports populaires, qui sont très accessibles comme le football, pour avoir une ascension dans la société (Sadio Mané, Maradona, Ronaldo, etc.).

A y voir de près, même le langage employé est porteur de termes agressifs. C'est une terminologie de guerre sous des formes passives ou agressives. Des termes comme *attaquer* et *défendre, tirer, dominer,* être *agressif,* rester *vigilent,* sont lourdement chargés puis que bellicistes et militaires. Si des efforts sont faits pour établir des règles de dissuasion (comme les avertissements et disqualifications), il faut admettre que certaines actions semblent être glorifiées par certains supporters exaltés lorsque la rigueur et la force sont employées pour défendre des buts. Ces mêmes supporters, qui dénoncent la violence sous toutes ces formes, sont les mêmes qui, lorsqu'un attaquant emploi des techniques de drible pour se débarrasser de son adversaire, sautent de joie au vu de la manière dont le défenseur est ridiculisé. Certaines actions méprisables et hostiles font la une de tous les journaux sportifs sans tenir compte de l'impact qu'elles peuvent avoir sur les acteurs eux-mêmes.

En effet, des cas isolés comme le coup de tête de Zinedine Zidane contre Materazi (finale coupe du monde 2006, France vs Italie à Berlin) ou la morsure de Luis Suarez, multirécidiviste, sur Giorgio Chiellini (à la coupe du monde de 2014 lors du match Uruguay vs Italie), sont quand même légendaires. En 2013, lors d'un match de championnat d'Angleterre, celui qui portait les couleurs de Liverpool avait écopé d'une suspension de 10 matchs pour avoir mordu Branislav Ivanovic (Chelsea). L'écart de conduite de Luis Suárez avait fait plusieurs heureux, et pas seulement dans le camp de ses dénigreurs puis qu'au vu de son comportement, 167 individus avaient gagé que Suárez allait mordre un adversaire durant ce fameux choc Italie-Uruguay, sur le site de paris sportifs Betsson.

Si certains sont contents de voir un joueur utiliser sa dentition pour agresser un adversaire, il est rare de voir un supporter se plaindre sur le nom d'animal attribué à son équipe. Dans les universités américaines on retrouve les noms comme les Alligators (Université de Florida), les Rams (VCU). Dans les équipes nationales africaines c'est plutôt les Lions Indomptables (Cameroun), les Éléphants (Cote d'Ivoire), les Lions de la Téranga (Sénégal), les Fennecs (Algérie), les Aigles (Mali), les Aigles de Carthage (Tunisie), Les Étalons (Burkina Faso), etc. qu'on retrouve. Alors que dans les équipes professionnelles comme la NBA, certaines équipes sont représentées par des Taureaux (Chicago Bulls), des Ours (Memphis Grizzlies), des Chevreuils (Milwaukee Bucks), des loups de bois (Minnesota Timberwolves), des rapaces (Toronto Raptors), des frelons (Charlotte Hornets), etc.

Pour d'autres, elles sont représentées par des guerriers (Golden State Warriors), des oiseaux (Louisville Cardinals, Fighting Bluehens de l'Université de Delaware), et même ceux qui défient l'orthodoxie comme Dallas Mavericks qui signifie les anticonformistes de Dallas. Qu'est ce qui se cache derrière ces appellations? Certainement parce que de nombreux animaux évoquent des images de puissance et de force, deux qualités que les équipes sportives veulent transmettre à leurs représentants. Des qualités que les dirigeants aimeraient voir se traduire sur le terrain et qu'eux-mêmes n'auraient pas. A supposer qu'on accepte les métaphores comme explication, une attitude positive devrait être alors attendue lorsque la réalité d'une défaite s'abat sur les supporters de "lions" face aux "fennecs". C'est pourquoi les animaux comme les ours, les tigres, les requins, les lions et les chats sauvages sont souvent les animaux de prédilection lors de la nomination d'une équipe. Une équipe qui porte un nom d'animal cherche à épouser les valeurs et qualités intrinsèques de l'animal lui-même. En dehors de ses valeurs, d'autres superlatifs négatifs et violents, certainement sauvages, politiques peuvent apparaitre.

D'après la recherche, il semble y avoir un décalage entre la façon dont les propriétaires, les professionnels du sport et les fans perçoivent l'impact du nom. Il semble évident que dans de multiples situations, les responsables des équipes ont une bonne intention de communiquer une signification à travers leur choix de nom et de logo, tandis que leur public, la base de fans et le grand public semblent interpréter le message différemment. (Lewis, 2021). A ce titre, il est inacceptable pour un supporter des lions indomptables de perdre devant des "aigles" ou des "éperviers", ou des "éléphants" devant des "oiseaux".

Dans tous les cas, les noms des animaux sont chargés et portent les germes d'une violence inconsciente mais percevable dans les commentaires des médias et autres fans. Lors de la coupe du monde de football de 2002, quand les Lions de la Téranga ont battu la France, on pouvait lire dans les commentaires des journaux que *"c'est tout à fait normal qu'un lion mange du coq"*. L'inverse semblerait plus inadéquat à admettre dans les subconsciences et représentations de certains fanatiques. Au vu de toutes ces remarques portant sur le langage agressif et les comportements des joueurs et supporters, où les menaces sont patentes, on ne devrait pas s'attendre, à un environnement de paix.

A vrai dire, les faits de violence liés à l'activité elle-même sont innombrables et s'explique par l'acte de domination et de supériorité recherché par les acteurs et attendu par les fans. Ils approuvent ces actes et payent pour cela. Si certains se contentent de savourer l'ambiance des stades, par contre d'autres viennent avec des objectifs sombres et bien planifiés. C'est le cas de cette communauté anglaise organisée et xénophobe dont les actions prévisibles, non tolérées par le code social de l'éthique de toute culture qui se réclame de ce nom, sont élevées au rang de tradition anglaise et dont les hooligans en sont le porte étendard.

Au Sénégal, on retrouve ce genre de comportements à la fin des combats de lutte avec frappe. Comportements réclamés par de jeunes fauteurs de troubles, violents. Ils ne sont pas généralement membre d'un gang, mais soutiennent et supportent un lutteur lui-même membre d'une écurie. Cette activité, qu'ils appellent SIMOL[8] et perpétuent depuis des années empêchent les riverains des stades et les automobilistes de vaquer à leurs besoins à l'occasion des combats de lutte avec frappe. Ils se déplacent en masse et portent des armes blanches par devers eux, n'hésitant pas à s'en servir pour commettre leurs forfaits. La lutte avec frappe est une activité physique extrêmement violente (à l'instar de l'UFC et de la MMA[9]) qui se pratique torse nu, et ou les coups de poings sont permis. Le but est de faire tomber son adversaire sur le dos, sur le côté, ou sur le ventre, de l'amener à poser quatre appuis au sol (à l'aide de la tête, des mains, des pieds ou des genoux) ou de le pousser à l'abandon par blessure suite à une décision médicale. Cette violence a contribué à renforcer le contraste d'un côté, entre les traditions d'un pays d'accueil, de paix, de dialogue et la violence, de l'autre.

La mutation de la lutte simple vers une lutte avec frappe est la preuve d'une transformation de valeurs qui s'est opérée depuis longtemps et qui ne devait pas surprendre les protecteurs d'un sport sans violence.

2.6. Sport et Media

Si la violence est le fait saillant qui est le plus discuté par les analystes du domaine, le sport entretient aussi d'autres liens qui méritent de porter une attention. Ce sont ses liens avec la politique, le racisme, la religion, les médias, entre autres. Il ne s'agit pas ici de discuter de l'importance de la place qu'occupe le sport dans les programmes des télévisions mais plutôt de montrer comment il peut générer indirectement des conflits entre les médias eux-mêmes. A vrai dire, le sport constitue un sujet exaltant pour les médias qui désignent tout moyen de distribution, de diffusion ou de communication interpersonnelle, de masse ou de groupe, d'œuvres, de documents, ou de messages écrits, visuels, sonores ou audiovisuels (comme la radio, la télévision, le cinéma, Internet, la presse, les télécommunications, etc.).

Par conséquent, ces dernières participent intensément à l'effort d'éducation des valeurs du sport et de sensibilisations sur les dérives. De nos jours, une très grande partie des programmes des télévisions est représentée par les évènements sportifs tels que les jeux Olympiques, les coupes continentales et mondiales de football, le *super Ball,* la NBA, les meetings d'athlétisme, etc. Tenant compte de l'intérêt grandissant des populations en quête de sensationnel, les médias privilégient le directe afin de capter la plus grande audience possible. Au Sénégal, on note la création d'émissions consacrées au sport surtout après l'arrivée de la première chaine privée sénégalaise en 2005 (2STV[10]) suivie par les autres télévisions comme WALTV et la Télévision Futur Media (TFM). Les chaines ont adopté des programmes presque identiques qui ne favorisent pas la variété des contenus audiovisuels (FALL, 2022). Cependant, si les émissions sportives sont très remarquées dans l'environnement médiatique sénégalais, ce sont les émissions spécialisées comme les émissions de lutte qui envahissent le plus le champ télévisuel : CAXABAL, ROFFO, BANTAMBA, LAMDJI, l'OEIL DU TIGRE, etc. A ce titre, plusieurs évènements ont dévoilé l'implication du sport de manière indirecte dans les conflits entre les télévisions. En effet, le mode d'attribution des droits des évènements sportifs comme la Coupe du monde de football suscitent régulièrement des batailles médiatiques en Afrique.

Néanmoins, c'est le football qui représente le sport qui a le plus alimenté les conflits entre elles. On se rappelle lors de la CAN 2008, le conflit entre la 2STV et la RTS[11] lorsque la 2STV avait repris, selon xibar.net (2008), le signal de CANAL + avec une caméra braquée sur un écran de télévision. A noter aussi le conflit entre la RFM[12] et la RTS qui se sont battues par médias interposés pour les Droits de diffusion télé de la coupe du monde de 2018. Racine Talla, le directeur de la RTS, avait même qualifié le comportement de la RFM de frauduleux et d'illégal. Dans ce sens le sport peut constituer une source de division des media. Une telle situation doit mener à la mise en place de dispositif de protection des événements d'importance majeure. Sur cette base des solutions sont proposées par les des auteurs comme le professeur Abdoulaye SAKHO qui affirme:

"En France, en application de la Directive européenne dite " Télévisions sans frontières ", le gouvernement a adopté une réglementation qui prévoit que " les événements d'importance majeure ne peuvent être retransmis en exclusivité d'une manière qui aboutit à priver une partie importante du public de la possibilité de les suivre [...] sur un service de télévision à accès libre ". (SAKHO, 2022)

Pour lui,

"D'autres pays européens, à titre d'exemple, la Belgique et le Royaume-Uni, ont mis en place une réglementation visant à limiter les droits des fédérations internationales en matière d'exploitation de la Coupe du monde et de l'Euro de football. Ces pays se basent sur l'argument fondamental selon lequel ces évènements sont "jugés d'importance majeure pour la société" et, qu'une partie du public ne doit pas être privée de la possibilité de les suivre, que ce soit en direct ou en différé à la télévision terrestre" (SAKHO, 2022).

Autant de propositions salutaires qui permettraient une meilleure prise en charge du secteur de la captation sportive d'autant plus qu' *"en l'absence de toute liberté créative et de l'indispensable élément d'originalité, la manifestation sportive n'est pas une œuvre"* (Thema, 2020), donc n'est pas consacrée par le code de la propriété intellectuelle. Ainsi, si le sport alimente les conflits dans les médias, ces dernières ont un certain pouvoir sur le sport, pouvant causer certains problèmes, notamment l'influence sur les résultats en mettant la pression sur les joueurs, les entraîneurs et les équipes. En effet, les commentaires critiques, les analyses et les pronostics peuvent affecter le moral et la performance des athlètes. A noter que plusieurs fois les médias ont influencé les résultats sportifs dont certains exemples notables le démontrent. C'est le cas de la "Malédiction du Bambino" dans le baseball : en 1918, les Red Sox de Boston ont échangé leur joueur vedette Babe Ruth aux Yankees de New York. Les fans de Boston ont blâmé la presse locale pour la décision, affirmant qu'elle avait créé une "malédiction" sur l'équipe. Les Red Sox ont ensuite connu une longue période de disette, ne remportant pas la Série mondiale pendant plus de 80 ans.

De la même manière, les commentaires des experts et les pronostics des médias peuvent influencer le moral et la performance des équipes. Par exemple, lors de la Coupe du monde de football en 2014, le Brésil était considéré comme le favori pour remporter le tournoi. Cependant, après la blessure de leur joueur vedette Neymar, les médias ont commencé à douter de leur capacité à gagner, et l'équipe a finalement été éliminée en demi-finale.

On se rappelle aussi que le Cameroun, tenant du titre, a remporté la Coupe d'Afrique des Nations 2002 en s'imposant en finale face au Sénégal. Les deux pays se sont départagés aux tirs au buts 3-2, après avoir terminé à égalité 0-0 à la fin des prolongations. Depuis cette rencontre, le Cameroun est devenu la bête noire du Sénégal avec l'aide des commentateurs sénégalais, qui passent beaucoup de temps dans les antennes à expliquer que le Sénégal doit tout faire pour le Cameroun avant la fin du temps règlementaire. Sinon, le Sénégal va perdre si on arrive aux tirs au buts. C'est ainsi que la spirale négative ne s'est pas arrêtée lors de la rencontre ayant opposé le Sénégal et le Cameroun à la Coupe d'Afrique des Nations (CAN) en 2017. Ce dernier a obtenu sa qualification en demi-finale du tournoi en sortant le Sénégal 5 tirs au but à 4 après un temps réglementaire sans but (0-0), à Franceville. Ce qui n'est pas le cas en 2022 où l'Égypte élimine le Cameroun, pays hôte, aux tirs au but et rejoint le Sénégal en finale.

Par conséquent, les athlètes sont souvent sous pression pour répondre aux attentes des médias et des fans. Cette pression peut les amener à prendre des risques inutiles ou à sous-performer. Par exemple, lors des Jeux olympiques d'hiver de 2018, la patineuse artistique américaine Mirai Nagasu a été largement médiatisée pour avoir réussi un triple axel, une figure très difficile. Cependant, lors de la compétition, elle a mal performé, peut-être en raison de la pression de la médiatisation.

Les exemples de pression des médias sur les athlètes sont nombreux. On se rappelle le cas de Michael Jordan, l'un des joueurs de basketball les plus célèbres de tous les temps. Pendant sa carrière, il a été constamment scruté par les médias, qui cherchaient à savoir s'il était capable de maintenir son niveau de performance élevé. Cette pression a conduit Jordan à prendre des risques inutiles, notamment en jouant malgré des blessures. Et c'est quasiment la même situation avec Serena Williams, l'une des meilleures joueuses de tennis de tous les temps. Pourtant, elle a également été la cible de nombreux commentaires critiques de la part des médias, qui ont souvent mis en doute sa forme physique et sa motivation. Cette pression a conduit Williams à se blesser plusieurs fois, ce qui a affecté sa performance.

Le cas de Simone Biles est un autre exemple de la pression des médias. En effet, lors des Jeux olympiques d'été de 2021 à Tokyo, la gymnaste américaine Simone Biles a fait face à une pression considérable de la part des médias pour remporter des médailles d'or. Cependant, après avoir subi une perte de confiance en soi lors de l'épreuve par équipes, Biles a décidé de se retirer de plusieurs autres épreuves pour se concentrer sur sa santé mentale. Bien que sa décision ait été largement saluée, elle a également été critiquée par certains commentateurs qui ont mis en doute sa force mentale.

Une autre célébrité qui a également subi une pression considérable de la part des médias est Tiger Woods, autrefois l'un des golfeurs les plus célèbres au monde. Il a eu de grandes difficultés à maintenir son niveau de performance à cause de cette pression permanente qui l'a conduit à prendre des risques inutiles, notamment en en se réfugiant dans vie privée turbulente, ce qui a finalement affecté sa carrière.

Ces exemples montrent que la pression des médias peut affecter la performance des athlètes, leur santé mentale et leur vie privée. Les responsables des médias doivent être conscients de leur influence surtout dans la façon dont ils couvrent les événements sportifs et les athlètes. Il est important de noter que les médias ne sont pas les seuls responsables des résultats sportifs, et que les performances des athlètes et des équipes sont le résultat d'une combinaison complexe de facteurs. Cependant, les médias peuvent exercer une influence significative sur le sport en raison de leur pouvoir de communication et de leur capacité à façonner l'opinion publique. Certaines utilisent le sensationnalisme qui tendance à privilégier les histoires ahurissantes plutôt que les actualités sportives, entrainant ainsi une couverture inappropriée des événements sportifs. Cela peut conduire à une mauvaise compréhension de l'événement et à une déformation des faits. Si ce n'est pas le sensationnel, c'est la propagation des rumeurs et des fausses informations qui ont le pouvoir de nuire à la réputation des athlètes, des équipes et des organisations sportives. Ces révélations peuvent avoir des conséquences graves pour les individus et les organisations concernées. La diffusion de rumeurs et de fausses informations en sport est un problème courant, alimenté en grande partie par les médias sociaux et les plateformes en ligne. Les rumeurs peuvent se propager rapidement et avoir des conséquences néfastes pour les athlètes, les équipes et même les fans. Les fausses informations en sport peuvent prendre de nombreuses formes, notamment des rumeurs sur les transferts de joueurs, des informations erronées sur les performances des athlètes, des accusations de dopage ou d'autres comportements inappropriés, ou encore des allégations de matchs truqués.

Il est devenu péremptoire de vérifier l'authenticité des informations avant de les distribuer, surtout sur les médias sociaux. Les organisations sportives, les journalistes et les fans peuvent tous jouer un rôle important pour aider à stopper la diffusion de fausses informations et de rumeurs. Les organisations sportives peuvent fournir des informations précises et transparentes, tandis que les journalistes peuvent vérifier leurs sources et éviter de publier des informations non vérifiées. Les fans peuvent également faire leur part en signalant les informations douteuses et en ne partageant pas de rumeurs sans les vérifier au préalable. En fin de compte, il est important de se rappeler que la diffusion de fausses informations et de rumeurs peut avoir des conséquences réelles pour les athlètes, les équipes et les fans. En tant que communauté sportive, nous avons tous la responsabilité de faire preuve de prudence et de diligence dans la vérification des informations avant de les partager.

En dehors de l'impact que les médias peuvent avoir sur les athlètes, une autre façon employée est la manipulation des fans. A cet égard, elle a tendance à s'attacher des méthodes de marketing pour accroitre les ventes et les audiences. Ce qui favorise une conception erronée du sport et à une surenchère dans les commentaires et les discussions. En publiant des titres insolites comme "*Le joueur de football le plus cher de l'histoire* ", même si l'article ne contient pas d'informations sérieuses ou originales, cela pourrait attirer l'attention des fans. D'autres médias poussent le bouchon encore plus loin en publiant des rumeurs non authentifiées sur les transferts de joueurs ou sur des problèmes entre des joueurs et leur entraîneur pour accroitre leur audimètre. Si c'est une manière de susciter l'intérêt des fans cela peut aussi nuire à la réputation des athlètes impliqués. C'est le même procédé où objectif recherché les médias créent des polémiques sur la base de publication de photos de joueurs faisant des choses considérées comme controversées ou en créant des histoires de conflits entre les joueurs.

Ces exemples montrent comment les médias peuvent manipuler les fans en sport pour atteindre leurs objectifs de vente ou de clics. Les fans doivent être conscients de ces tactiques et être capables de les distinguer des informations importantes et véridiques.

Pour toutes ces raisons, le psychologue du sport doit être alerte et doit conscientiser les athlètes du rôle des médias qui, en plus du rôle incontournable qu'elles jouent dans la démocratisation et la diffusion des évènements sportifs, elles peuvent causer certains problèmes dans le sport, tels que l'influence sur les résultats, le sensationnalisme, la diffusion de rumeurs et de fausses informations, et la manipulation des fans. Il est donc important de prendre en compte ces problèmes et de travailler à améliorer la qualité et la transparence de la couverture médiatique dans le sport.

2.7. Sport et Politique

La politique peut avoir un impact significatif sur le monde du sport de diverses manières, puis qu'elle est relative à l'organisation, à l'exercice du pouvoir dans une société organisée. Les politiques apportent orientations, cohérence, obligation de rendre des comptes, efficacité et clarté sur le fonctionnement d'une organisation. En ce sens, le sport et les organisations sportives ne dérogeraient point à la règle. Le sport est donc loin de s'exclure du champ politique.

D'abord, au niveau des relations internationales, il faut noter que les événements sportifs internationaux tels que les Jeux olympiques, la Coupe du monde et d'autres tournois majeurs sont souvent utilisés comme un moyen pour les pays de montrer leur pouvoir politique et leur position internationale. Les pays peuvent utiliser leur succès dans ces événements pour renforcer leur réputation sur la scène mondiale ou pour promouvoir l'unité et la fierté nationales.

Ensuite, la politique peut également avoir un impact sur le financement et les ressources disponibles pour les programmes sportifs. Les gouvernements peuvent choisir d'allouer plus ou moins de fonds aux programmes sportifs en fonction de priorités politiques ou de considérations économiques. Dans certains cas, le financement du sport peut être réduit ou complètement éliminé en raison d'une instabilité politique ou d'un conflit.

Puis, des faits ont démontré que la politique a une certaine influence sur la question de l'éligibilité des athlètes. Par conséquent, elle joue un rôle dans la détermination des athlètes éligibles pour participer à des événements sportifs internationaux. Les cas sont nombreux où des athlètes ont été exclus ou disqualifiés d'une compétition en raison de sanctions politiques, de différends ou de conflits : guerre entre la Russie - Ukraine, Union Africaine – Mali, par exemple). Dans cet ordre d'idées, des conflits politiques peuvent également conduire au boycott d'événements sportifs. Par exemple, les États-Unis ont boycotté les Jeux olympiques d'été de 1980 à Moscou pour protester contre l'invasion soviétique de l'Afghanistan, et de nombreux pays ont boycotté les Jeux olympiques d'été de 1976 à Montréal en raison d'un différend sur la participation de la Nouvelle-Zélande.

Enfin, le sport a maintes fois été utilisé comme un outil de diplomatie politique et de résolution de conflits. Par exemple, les Jeux olympiques d'hiver de 2018 à Pyeongchang, en Corée du Sud, ont été considérés comme une opportunité potentielle de diplomatie entre la Corée du Nord et la Corée du Sud, et les deux pays ont défilé ensemble sous un drapeau unifié lors de la cérémonie d'ouverture.

Considérant ces différents aspects précédemment mentionnés, il serait plausible de penser que la neutralité de la politique dans le sport est un mythe. Le sport dépend de la politique et de l'économie et le lien a toujours était solide. A cet effet, l'État intervient dans les affaires sportives et en définisse la politique. Aussi, le sport a traversé différents courants politiques et idéologiques, de l'État libéral à l'État providence, en passant par l'État socialiste et l'État fasciste. Le sport a été présent dans les États socialistes représentés par un parti politique unitaire qui naît à la fin du $19^{\text{ème}}$ avec le marxisme. L'État socialiste vise la redistribution du travail, la production, la suppression de l'exploitation de l'homme par l'homme, l'accumulation des richesses.

Dans ces États, le sport est sous la haute autorité de l'État et de l'armée. En Angleterre, on note une nationalisation du sport et les dirigeants sportifs commencent à louer des relations avec des politiques.

Cependant, l'État libéral, qui favorise une croissance industrielle acces sur le capitalisme et la concurrence privée représente une diversité politique et l'intervention de l'état dans le sport est réduite.

Au niveau des États fascistes, représentés par un parti politique unique dirigé par un seul homme (dictateur) qui agit par voie légale et illégale, déterminée par la prise du pouvoir par la force, des emprisonnements arbitraires (Adolph Hitler, Franco, Pinochet...1920-1945), le sport était sous le contrôle de l'état, et du parti politique dirigeant. Les hommes politiques assistaient aux rencontres sportives pour profiter de la masse populaire. Ils voyaient le sport comme une vitrine d'où la fusion entre état et système sportif.

Vers 1945-1960, c'est le début des états Providences et des politiques sportives. C'est le rejet de la dictature et du retrait provisoire de l'état. La France impulse le sport de masse et initie le sport de haut niveau pour exposer le pays au monde.

Ainsi, les subventions sont allouées aux associations sportives avec une certaine volonté d'universaliser les règlements sportifs (code de jeu). Cependant, la véritable politique sportive à commence avec le français Maurice HERZOG, nommé le 5 octobre 1958 haut-commissaire à la jeunesse et aux sports:

> " Le " Journal officiel " du 5 octobre a publié un décret instituant un haut-commissariat à la jeunesse et aux sports, et un second nommant haut-commissaire M. Maurice Herzog. Le premier de ces textes est ainsi rédigé :" Il est créé au ministère de l'éducation nationale un haut-commissariat à la jeunesse et aux sports. Ce haut-commissariat se substitue à la direction générale de la jeunesse et des sports. Il relève directement du ministre de l'éducation nationale. Le haut-commissaire à la jeunesse et aux sports est à la disposition du président du conseil pour ce qui concerne l'impulsion et la coordination de l'action gouvernementale relative à la jeunesse de France et d'outre-mer. A ce titre le haut-commissaire exerce les fonctions de secrétaire général du haut comité de la jeunesse de France et d'outre-mer. " (MARCILLAC, 1958).

Herzog fait voter des programmes pour la création d'infrastructures (gymnases, salles, ...), et un rapprochement est noté entre les professeurs de gymnastique et les clubs sportifs (1960-1975). D'ailleurs, le Général De Gaulle déclara pendant cette période : "Le sport, j'en fait mon affaire." Cependant, il se heurta au refus de la jeunesse en mai 1968 de l'étatisation du sport. Depuis 1932, le mouvement olympique a entrepris de renforcer la mission du sport au service de la compréhension entre individus et entre nations grâce au brassage entre les athlètes dans les villages olympiques mais aussi entre les nations.

Pour ce faire, "une étude de la politique suivie par vingt et un (21) comités olympiques nationaux a montré que les représentants de ces comités considéraient la *concorde et la compréhension internationales comme* un élément prioritaire de cette politique et estimaient que l'action de leurs comités dans ce sens avait été *couronnée de succès* " (Luschen, 1982) Auparavant, le congrès olympique de 1972 avait suscité l'intérêt de faire des recherches sur la contribution du sport comme solution aux conflits et moyen de promouvoir la paix. Ainsi, en 1980, les résultats des recherches ont été validés par les congressistes. Ce qui a permis aux défenseurs du sport de confirmer leurs croyances à l'impact du sport sur la régulation et la résorption des conflits. Cependant, Max Gluckman[13] avait adopté une position alarmiste et qui affirme que :

> "L'équilibre *(entre résorption et instigation des conflits) est souvent précaire* " *et qu'il dit n'être pas convaincu* " *en fonction des données disponibles... Que la libération d'agressivité que favoriseraient les jeux amènerait ces derniers à remplacer la guerre. Car en vérité les jeux peuvent susciter autant qu'apaiser l'excitation et donc l'agressivité des joueurs et du public* " *(Luschen, 1982).*

Ce pessimisme semble retrouver un soutien factuel fondé sur l'apparition de conflits en les nations et qui se sont transférés dans l'espace évènementiel sportif. D'une part, le sport sert de moyen de divulgation de messages de toute sorte. Ce canal est utilisé par les acteurs et des organisations pour exprimer leur opinion sur des situations politiques dans le monde. Les faits récents le prouvent. En effet, lors du mondial 2022 au Qatar, les drapeaux palestiniens ont été très remarqués dans les gradins, à la télévision et sur la pelouse surtout lors des victoires du Maroc : le Mondial de football au Qatar a montré que la cause palestinienne n'a pas été "enterrée" par la normalisation des relations entre Israël et des pays arabes même si un accord a été signé. Disons plutôt que non seulement le sport a permis de révéler le sentiment profond des pays arabes envers cet accord forcé mais devient une source d'amplification de la division entre Israël et Palestine sous l'angle politique. Le soutien du public (arabo-musulman) et des acteurs eux-mêmes en est la preuve.

En effet, à la fin des matchs contre l'Espagne et le Portugal, les joueurs marocains ont communié avec le public qui chantait *Song for Palestine - Free Palestine*, à l'instar de Jawad El Yamiq (N° 18) qui a levé le drapeau palestinien, ce qui représente un soutien politique. L'extrait de la chanson est présenté ci-dessous :

Avec notre âme et notre sang nous te protégeons Palestine

Oh, l'Unique (Palestine)

Le cœur est triste pour toi depuis des années

Les yeux pleurent

Ma Palestine bien-aimée,

Où sont les Arabes ?

Ils sont endormis

Palestine le plus beau pays, résiste

Que Dieu te protège de l'oppression des frères ennemis

Et des juifs avides

Nous ne te laisserons pas seuls Gaza

Bien que tu sois loin de nous

Rafah et Ramallah

Notre Ummah est si malade

Ils l'ont rendu si malade des problèmes

Et de la corruption des gouvernements

L'Arabe vit avec des difficultés majeures

Son avenir s'annonce sombre

Rajawi est la voix des personnes opprimées que vous ne pouvez pas entendre

Nous savons ce qui se passe

Parce que nous sommes des aigles qui ne s'inclineront jamais

Seul Dieu est Le Propriétaire de l'univers

Liberté en Palestine

Si Dieu le veut, à Jérusalem, la joie durera pour toujours

<u>Source : Imran Makda</u>

C'était tout le public arabe qui s'y était mis. Les supporters tunisiens ont aussi soulevé un très grand drapeau palestinien après leur match contre l'Australie. La solidarité avec le peuple palestinien se voyait partout en dehors du stade, dans les rues et les restaurants. Les supporters non arabes affichaient également leur soutien à la cause palestinienne en joignaient des groupes de danseurs et chanteurs.

Cependant, l'apparition du conflit israélo-palestinien dans le football et les tentatives de rapprochement des deux pays par le sport aussi ne datent pas d'aujourd'hui. Déjà en 2015, la Palestine, membre de la FIFA depuis 1998, avait souhaité que l'instance exclue Israël des compétitions internationales. Pour régler le problème, le président de la FIFA d'alors, Joseph Blatter, voulait organiser un match de football entre les deux pays. Ce que la Palestine avait refusé tant que l'État hébreux n'aura pas d'abord levé les restrictions imposées à ses footballeurs.

D'autre part, à cause de l'ingérence de l'État dans la gestion des fédérations nationales, beaucoup de fédérations africaines ont été suspendues par des instances internationales (FIFA, FIBA, etc.). Au football, on peut noter les cas du Nigeria en 2010, du Cameroun et du Benin en 2016, du Kenya 2021, du Tchad et du Zimbabwe en 2022. Ces suspensions semblent légitimes puis qu' *"il existe une autonomie du mouvement sportif et il ne peut y avoir interférence politique"* (Reuters, 2010). Le secrétaire général de la Fédération internationale de football Jérôme Valcke, lors d'une conférence de presse à Johannesburg, avait conseillé aux autorités politiques françaises de ne pas s'immiscer dans les affaires du football hexagonal après le fiasco des Bleus à la Coupe du monde.

En octobre 2022, le journal tunisien Business News rapporte que la FIFA avait adressé une lettre à la Fédération tunisienne de football, dans laquelle elle menaçait la Fédération tunisienne de football (FTF) de sanctions pouvant aller à la suspension. Le motif mentionné est l'ingérence des autorités étatiques dans les affaires et la gestion de la FTF et les déclarations du ministre des Sports, Kamel Deguiche, sur une éventuelle dissolution du bureau fédéral de la fédération tunisienne, d'après (MBZ, 2022).

Clairement, la FIFA, qui se réclame apolitique et qui défend crânement l'autonomie du mouvement sportif en refusant toute ingérence des États, semble s'impliquer dans la politique à plusieurs niveaux. En effet, en juin 2022, la FIFA et l'UEFA avaient condamné l'intervention armée en Ukraine de la

Russie et avaient exclu cette dernière de toutes les compétitions depuis le déclenchement du conflit en février 2022. Pourtant, la FIFA a vendu les droits de retransmission des matchs de football au Qatar à trois chaînes russes pour 39 millions d'euros. Qu'est ce qui explique cela? Le journal La Libération qualifie cette attitude de la FIFA d'une "*indignation à deux vitesses... et que l'argent à ses raisons que la raison ignore*"? (Séré, 2022).

Cette question concernant la suspension d'athlètes dont les pays sont impliqués dans des conflits entre d'autres pays et où ils sont considérés comme des agresseurs reste très délicate et controversée. D'ailleurs, "*La ministre canadienne des Sports, Pascale St-Onge, évite de répondre aux questions posées par l'auteur et militant canadien Yves ENGLER[14] au sujet de la décision du pays d'interdire aux athlètes russes et biélorusses les événements sportifs internationaux*" (Regina, 2023). Il a adressé le point concernant les athlètes canadiens, américains, qui n'ont jamais été inquiétés malgré les bombardements perpétrés sur l'Irak, la Libye ou l'Afghanistan. Les athlètes israéliens n'ont jamais fait l'objet de sanction malgré les 50 années d'occupation de l'Israël sur la Palestine.

En Afrique, l'action politique a plusieurs fois bouleversé le mouvement associatif. Le cas le plus évident est l'existence du Comité National de Gestion (CNG) qui est installé au Sénégal depuis des dizaines d'années et qui n'évolue pas. En effet, le cas du CNG de lutte est frappant. Rien n'empêche à cette structure d'évoluer en fédération afin de répondre aux besoins des lutteurs qui doivent se constituer en clubs amateurs pour permettre des compétitions régulières sur la base d'une catégorisation stricte.

Pour le cas de la lutte avec frappe, la mise en place d'une ligue professionnelle suffit à régler la question. Cette lutte avec frappe pourra être gérée par une entité indépendante, sous forme d'agence, avec un contrat d'objectif et de performance. Sans aller loin dans la recherche des faits marquant l'incursion de la politique dans les affaires sportives.

De plus, le match qui a opposé l'équipe de football du Sénégal à celle du Mozambique à fait couler beaucoup d'encre. Comme le cas du Qatar cité ci-dessus, ce sont des supporters sénégalais, une dizaine de jeunes, qui ont brandi des pancartes et banderoles pour affirmer leur position politique.

En effet, d'après le journal d'investigation Kewoulo[15],

"Plus d'une dizaine de supporters sénégalais présents au stade hier vendredi pour suivre le match contre le Mozambique (victoire 5-1 des Lions) ont été arrêtés par la police. Motif : ils avaient brandi durant la rencontre des banderoles avec des slogans : " Libérez les otages " ; " Macky Sall dictateur " ; " Non au 3 -ème mandat"

Cependant, le nombre restreint de ces activistes a été expliqué par beaucoup de chroniqueurs et journalistes qui sous-tendent que les billets ont disparu des guichets avec la complicité de la fédération sénégalaise de football, afin de priver les supporters du camp de l'opposition d'accéder au Stade Olympique Abdoulaye Wade. Le journal rappelle que

"le match Sénégal-Mozambique d'hier s'est déroulé dans un contexte assez politique où les responsables du pouvoir en place ont " confisqué " tous les billets pour éviter que le Président Macky Sall ne soit hué dans le stade devant les caméras du monde entier. Résultat, Sadio Mané et ses coéquipiers ont joué dans un stade Abdoulaye Wade à moitié vide". (Dramane, 2023).

Dans tous les cas, la présence du politique dans la fédération de football pourrait faciliter l'action politique dans le sens de répondre aux exigences du pouvoir. Ce que confirme Senego[16] qui affirme que :

" Au sein du comité exécutif de la fédération où siègent beaucoup de hauts responsables de la mouvance présidentielle (Augustin Senghor, Abdoulaye Sow, Lat Diop, Djibril Wade, Seydou Sané, pour ne citer que ceux-là)" (Diallo, 2023).

Ainsi, l'analyse antérieure de l'incursion du sport dans les États permet de comprendre sa pérennité et son existence dans l'espace politique et entre les modèles de gouvernance et a permis de démontrer l'ancrage profond de cette relation dans nos sociétés anciennes et modernes.

Les actions peuvent avoir de sérieuses conséquences sur le mental des athlètes et sur leur performance. Le cas des JO de Pékin en 2008 avait fait couler beaucoup d'encre lorsque monsieur Amadou Diao, le directeur technique national (DTN) d'athlétisme d'alors, avait été reconduit au Sénégal après qu'il ait brandi une banderole sur la piste lors de la cérémonie d'ouverture. D'après lui, c'était un message non politique ni ethnique et qu'il voulait juste lancer un message à l'endroit du mouvement olympique afin de renforcer l'amitié entre les olympiens. Cependant, certains considèrent que c'était un message politique destiné à la cause tibétaine. Dans tous les cas, c'était une propagande interdite par la règle 50 de la charte olympique qui définit les règles qui couvrent la capacité d'un athlète à protester et à faire des démonstrations. Cette règle fournit un cadre destiné à protéger la neutralité du sport olympique, en stipulant qu' "aucune sorte de démonstration ou de propagande politique, religieuse ou raciale n'est autorisée dans un lieu, site ou autre emplacement olympique". Les athlètes étaient ainsi dans une situation difficile puis que l'atmosphère était lourde selon lui. Ainsi à l'absence du DTN, un soutien psychologique et une intervention seraient indispensable afin de gérer la situation.

Les athlètes de haut niveau sont aujourd'hui des personnalités publiques qui ont le potentiel d'utiliser leur voix pour inspirer le changement. L'histoire fournit des exemples d'athlètes qui ont courageusement pris position en public pour exprimer leur indignation face à l'injustice sociale, et les Jeux olympiques en ont été le théâtre. Il est évident que la plupart des athlètes qui réussissent ont un objectif clair dans leur tête et souvent l'ambition d'aller au podium est motivée par la visibilité et l'audience que peut leur offrir afin d'exprimer leur opinion politique et autres.

Le psychologue de sport, sur la base d'une évaluation des profils, pourrait être amené à anticiper sur ces actions.

Malgré l'importance que le sport joue dans l'économie du monde et sa prise en compte par les pays africains, les tensions politiques s'y expriment et s'y résolvent. Si on s'accorde sur le fait que le sport peut être utilisé afin d'améliorer les relations entre des nations différentes, il peut aussi servir de levier, malheureusement, pour les politiques, afin de créer des liaisons dangereuses entre la politique et le sport. C'est ainsi qu'en Afrique de l'est, des conflits politiques entre le Rwanda et ses voisins comme la RDC et le Burundi a impacté le sport aussi bien dans le football que dans le basketball. En effet, le club TP Mazembe de la RDC avait refusé en octobre 2023 d'afficher « Visit Rwanda » sur son maillot dans le cadre de la Ligue africaine de football. « Visit Rwanda » est une branche touristique de l'organisme gouvernemental appelé « Rwanda Development Board » pour accélérer le développement économique du pays. Pour ce faire, il a noué des partenariats au niveau du sport et spécialement dans le football africain et européen (Arsenal, Paris Saint-Germain ou encore le Bayern Munich). Ses partenariats se sont créés également dans le basketball. Par conséquent, le 9 mars 2024, les tensions politiques entre le Rwanda et le Burundi se sont invitées à la Basketball Africa League menant à l'exclusion de l'équipe burundaise du Dynamo Basketball Club de la compétition de la BAL pour avoir refusé de laisser apparaître sur son maillot le logo "Visit Rwanda", sponsor de la compétition. C'est à la suite des relations rigides que connaissent le Burundi et le Rwanda, empreintes d'accusations mutuelles de trouble et la fermeture des entrées du côté burundais en janvier 2024.

Il ne serait donc pas incorrect d'affirmer que la politique a un impact significatif sur le monde du sport. Son rôle dans les relations internationales, dans l'éligibilité des athlètes, des manifestations de son appartenance politique, dans le financement, dans l'implication des états sur les affaires sportives et fédérale, ne ferait plus l'objet d'un doute.

2.8. Sport et Racisme

La littérature définie le racisme comme une forme de discrimination fondée sur l'origine ou l'appartenance ethnique ou raciale de la victime, qu'elle soit réelle ou supposée. Selon Mustapha Harzoune, le racisme recourt à des préjugés pour déprécier la personne en fonction de son apparence physique ; il lui attribue des traits de caractères, des aptitudes ou des défauts physiques, intellectuels qui renvoient à des clichés ou des stéréotypes.

Le racisme cherche à porter atteinte à la dignité et à l'honneur de la personne, à susciter la haine et à encourager la violence verbale ou physique. Il tend à répandre des idées fausses pour dresser les êtres humains les uns contre les autres. Parfois, il se présente comme une idéologie, une théorie explicative des inégalités entre les hommes et propose alors une hiérarchie entre les groupes humains. Le racisme idéologique s'est développé à partir du XIXe siècle, avec des auteurs comme Vacher de Lapouge, qui ont voulu donner une base biologique au racisme, mais il est devenu un véritable système politique avec l'apartheid en Afrique du Sud et le nazisme du Reich allemand. (Harzoune, 2022). Le racisme a un impact significatif sur le sport, en particulier sur les athlètes, les entraîneurs, les officiels et les fans issus de groupes minoritaires.

Tout d'abord, le racisme peut limiter les opportunités pour les athlètes de minorités ethniques. Par exemple, certains athlètes peuvent être discriminés lors du processus de sélection pour des équipes nationales ou professionnelles, ou peuvent être confrontés à des obstacles financiers ou structurels qui entravent leur accès aux équipements et aux installations sportives de qualité.

En outre, le racisme peut également affecter la performance des athlètes, car il peut causer un stress psychologique important et altérer leur confiance en soi. Les athlètes qui sont la cible de discrimination raciale peuvent également être confrontés à des comportements hostiles ou agressifs de la part des adversaires ou des fans, ce qui peut avoir un impact sur leur concentration et leur performance.

Le racisme peut également affecter les fans et les officiels de minorités ethniques, qui peuvent être victimes d'insultes et de discrimination de la part des autres spectateurs ou des membres de l'équipe adverse. Cela peut créer un environnement hostile et peu accueillant pour les fans et les officiels, ce qui peut limiter leur participation à l'événement sportif.

Enfin, le racisme peut également avoir un impact négatif sur l'image du sport et sur la façon dont il est perçu par le public. Les actes de racisme peuvent nuire à la réputation des organisations sportives et dissuader les gens de participer ou de soutenir le sport en général.

Disons malheureusement que le racisme a un impact important sur le sport puis qu'il limiterait les opportunités pour les athlètes de minorités ethniques, en affectant leur performance, en créant un environnement hostile pour les fans et les officiels, tout en nuisant à l'image du sport dans son ensemble. Il est donc important que les organisations sportives travaillent à éliminer le racisme et à créer des environnements inclusifs et accueillants pour tous les participants et fans quel que soit l'origine, la couleur et le niveau social. Autant le sport a maintes fois servi de lieu d'expression politique, il a aussi permis aux xénophobes de dresser leur tribune de développement du racisme et donc de clivage entre les peuples. Plusieurs faits peuvent être relatés pour confirmer les actions et comportements qui prennent à contre-courant les valeurs tant véhiculées par les défenseurs du sport.

En effet, le cas de Mezut Ozil, joueur allemand d'origine turc, qui s'est retiré de la sélection nationale allemande à cause de la xénophobie en est la preuve. Ceci a créé une division du peuple allemand ou du moins des fervents supporters. Parce que certains supporters allemands de souche qui adorent le football aimeraient le voir sur le terrain de même que les supporters musulmans allemands d'origines turc, alors que d'autres supporters allemands blancs le critiquent à cause de son origine et certainement sa religion. Cette situation s'est prolongée même dans son club arsenal où en 2020, les vestiaires avaient été divisés en deux camps parce que l'entraineur avait refusé d'inscrire Ozil sur la liste des joueurs qui devaient disputer la ligue Europa et la premier League.

Aux JO de Berlin de 1936, Adolph Hitler avait refusé de serrer la main de Jesse Owens, un athlète américain noir qui avait remporté 4 médailles d'or. Le président américain Franklin Roosevelt avait aussi refusé de le recevoir à la maison blanche pour ne pas frustrer les états du sud racistes. L'épisode où les sprinters Tommie Smith et John Carlos ont levé le poing sur le podium des Jeux olympiques de Mexico en 1968 pour protester contre l'injustice raciale, ce qui leur a valu d'être exclus de la compétition, est resté lettre d'or dans les annales olympiennes. Dans ce sens, le sport est une source de division du peuple américain sous l'angle du racisme.

2.9. Sport et Corruption

Selon le très réputé mouvement *Transparency International*, la corruption – entendue dans son sens strict – désigne le fait pour une personne investie d'une fonction déterminée (publique ou privée) de solliciter ou d'accepter un don ou un avantage quelconque en vue d'accomplir, ou de s'abstenir d'accomplir, un acte entrant dans le cadre de ses fonctions. On distingue la corruption active (fait de proposer le don ou l'avantage quelconque à la personne investie de la fonction déterminée) de la corruption passive (fait, pour la personne investie de la fonction déterminée, d'accepter le don ou l'avantage).

La corruption a un impact important dans le monde du sport. Aucun continent ou organisation n'est épargné. Elle peut entraîner de graves conséquences, notamment une perte de crédibilité, d'argent public, une distorsion de la compétition, des risques pour la santé et la sécurité des athlètes, ainsi qu'une augmentation de la pauvreté.

En effet, la crédibilité et l'intégrité sont importantes en sport et peuvent subir les assauts de la corruption. D'une part, les paris sportifs qui suscitent un plus grand intérêt et un engagement accru des fans dans le sport, peuvent avoir plusieurs conséquences sur le sport. A supposer que les fans suivent de plus près les performances des équipes et des athlètes, ce qui peut augmenter l'audience et les recettes pour les événements sportifs, il y a quand même un risque de corruption et de trucage de matchs. Certains joueurs, entraîneurs et certains arbitres peuvent être tentés de manipuler les résultats pour gagner de l'argent grâce aux paris sportifs.

D'ailleurs, ceux qui s'adonnent à cette activité peuvent avoir des comportements addictifs, ce qui peut entraîner des problèmes de jeu compulsif et de lourdes pertes financières. Tout ceci peut être à l'origine de tension chez les athlètes qui peuvent ressentir une pression accrue pour performer et gagner des matchs en raison des paris sportifs. Cela peut causer des conséquences sur leur santé mentale et leur bien-être, ainsi que leur performance sur le terrain. A noter que les paris sportifs peuvent également potentiellement perturber l'équité sportive en incitant certains parieurs à favoriser une équipe ou un athlète plutôt qu'un autre. A la longue, les fans peuvent être découragés de suivre le sport concerné et remettre en question l'intégrité des compétitions. Sur cette base, les sponsors pourraient hésiter à investir dans des événements sportifs en raison de la crainte d'implication dans des affaires de corruption.

D'autre part, la corruption dans le sport peut entraîner une perte de l'argent public, car les gouvernements investissent souvent dans des infrastructures sportives et des événements pour stimuler le tourisme et l'économie locale. Lorsque ces investissements sont détournés, cela peut entraîner un gaspillage de l'argent public et un manque de développement économique.

Aussi, la corruption peut avoir des conséquences néfastes pour la santé et la sécurité des athlètes. Les pratiques corrompues peuvent entraîner la distribution de substances interdites ou des entraînements inappropriés, mettant en danger la santé et la sécurité des athlètes.

Enfin, la corruption dans le sport peut toucher des personnes influentes et puissantes, y compris des politiciens. En effet, les dix dernières années (2012-2020) ont été emmaillées de cas dont en voici quelques exemples :

- Mohammed bin Hammam : ancien président de la Confédération asiatique de football, a été suspendu à vie par la FIFA en 2012 pour avoir tenté d'acheter des voix en vue de l'élection présidentielle de la FIFA en 2011.

- Sepp Blatter : ancien président de la FIFA, a été impliqué dans plusieurs scandales de corruption liés à l'organisation de la Coupe du

Monde de la FIFA. En 2015, il a été suspendu de toutes les activités liées au football pour une durée de huit ans et a été condamné à une amende de 50 000 francs suisses.

● Michel Platini : ancien président de l'UEFA, a été suspendu en 2015 pour un paiement suspect de 1,8 million d'euros reçu de Sepp Blatter. Il a été banni de toute activité liée au football pendant quatre ans.

● Carlos Arthur Nuzman : ancien président du Comité olympique brésilien, a été arrêté en 2017 pour son implication présumée dans un réseau de corruption lié à l'attribution des Jeux olympiques de Rio en 2016. Il a été condamné en 2018 à une peine de prison de 30 ans.

● Lamine Diack : ancien président de la Fédération internationale d'athlétisme (IAAF), a été reconnu coupable en septembre 2020 d'avoir accepté des pots-de-vin pour couvrir des cas de dopage d'athlètes russes. Il a été condamné à quatre ans de prison et à une amende de 500 000 euros.

Ainsi, lorsque les ressources destinées au sport sont détournées, cela peut entraîner une diminution de l'accès des jeunes aux infrastructures sportives et à l'éducation physique, ainsi qu'à des programmes de soutien pour les athlètes professionnels. Ce qui peut avoir un impact sur l'augmentation de la pauvreté. Pour toutes ces raisons, les autorités doivent être vigilantes et prendre des mesures pour prévenir et punir la corruption afin de protéger l'intégrité et la crédibilité du sport. A cet égard, l'Article 7 du Code d'éthique du CIO stipule:

"Les parties olympiques s'engageront à combattre toute forme de tricherie et continueront à prendre toutes les mesures nécessaires pour assurer l'intégrité des compétitions sportives".

De même, l'Article 9 du Code d'éthique du CIO confirme:

"Toute forme de participation ou de soutien à des paris relatifs aux Jeux Olympiques, ainsi que toute forme de promotion des paris relatifs aux Jeux Olympiques, sont interdites."

Par conséquent, la connaissance et la compréhension des méfaits de la corruption en sport est essentielle chez les psychologues de sport, qui dans leur rôle de conseils et d'évaluation des états mentaux des sportifs, devraient être en mesure de détecter des situations de tension et de pression qui peuvent être perçue par les athlètes et dont la corruption pourrait être à l'origine.

2.10. La Performance Sportive

"LA PERFORMANCE, C'EST l'expression des possibilités maximales d'un individu dans une discipline à un moment donné" (Platonov, 1988, p36).

La performance est influencée par des facteurs déterminants comme les facteurs physiques, technicotactiques et psychologiques.

2.10.1. Les facteurs déterminants de la performance

2.10.1.1. L'ENTRAINEMENT physique

Il a pour but de faire reculer le seuil de fatigue des sujets en augmentant la quantité maximale d'oxygène pouvant être consommée par minute lors d'un exercice maximal (la VO2 max). En effet, l'entraînement provoque des changements cardio-respiratoires ; principalement une augmentation du volume du cœur qui est plus importante chez les athlètes que chez les sédentaires. Bien dosé et continu, l'entrainement provoque un ralentissement de la fréquence cardiaque, une augmentation du volume d'éjection systolique. Les données biomécaniques (aptitudes naturelles, morphologie, souplesse...) ont permis aux entraineurs de mieux orienter les athlètes dans des disciplines où ils seraient plus performants.

2.10.1.2. L'entrainement technique

L'ENTRAINEMENT TECHNIQUE et tactique est une des garanties de la performance sportive. Les techniques sont les mouvements de base de tout sport ou événement, par ex. le tir au lancer franc au basketball. Nous combinons plusieurs techniques dans un modèle de mouvement, par ex. rebond défensif : identifier son vis-à-vis direct – verrouiller – sauter pour prendre le ballon de basket. La technique est l'un des plus grands indicateurs de blessure sportive.

Une mauvaise technique entraîne des taux de blessures plus élevés, en particulier des blessures de surutilisation. Une bonne technique, d'autre part, protège contre les blessures et produit une meilleure performance. Quelqu'un avec une bonne technique est biomécaniquement efficace. Lorsque vous soulevez de lourdes charges, il est possible que votre corps se désaligne, ce qui mettra vos muscles, vos articulations et vos tendons dans des positions qui pourraient entraîner des déchirures et des tensions.

2.10.2. Rôle de la technique et de la tactique dans quelques sports

LA TECHNIQUE JOUE UN rôle essentiel mais différent en fonction des sports. Pour les sports dites techniques, comme la gymnastique artistique, la gymnastique rythmique et le plongeon, elle joue un rôle essentiel qui est de garantir une haute précision, mais aussi la réalisation de la difficulté du geste, donc garantit la performance. S'il s'agit des sports de force et de force explosive comme l'haltérophilie, le saut en hauteur, le lancer de poids et le sprint, elle joue un rôle essentiel qui est de préparer l'effort principal. Au niveau des sports d'endurance tels que la natation, le marathon, et le cyclisme sur route, la technique joue le rôle de garantir l'économie du geste. En effet, plus la technique est maitrisée, moins l'athlète fournit d'efforts et économise de l'énergie. Quant aux sports de combat (judo, boxe, etc.) et les sports collectifs (football, volleyball, basketball, handball, etc.), le rôle essentiel que joue la technique est de garantir la plus grande variabilité des actions.

Cependant, les tactiques permettent l'expression des techniques qui permettent de finaliser les actions et jouent en conséquence un rôle important dans le sport. Les éléments tels que les systèmes de jeu, les forces et les faiblesses de l'opposition et ses propres forces et faiblesses doivent être pris en compte si un résultat positif est recherché. Ainsi, la combinaison d'une prise de conscience des compétences techniques et tactiques est susceptible d'améliorer encore plus les performances.

2.10.3. Rôle des facteurs psychologiques

ILS SONT DÉTERMINANTS à la performance sportive. En effet, les états émotionnels influencent l'activité du sujet, ce qui peut avoir un impact sur la performance. Ces états émotionnels sont représentés par la confiance en soi, l'anxiété et la gestion du stress.

2.10.3.1. La confiance en soi

LES PSYCHOLOGUES DU sport définissent la confiance comme la conviction de pouvoir réussir un comportement désiré. Essentiellement, la confiance est l'espoir du succès. Les athlètes confiants croient en eux-mêmes. Plus encore, ils sont convaincus de leurs aptitudes à acquérir les compétences, à la fois physiques et mentales, nécessaires à l'atteinte de leur potentiel. Lorsque vous doutez de vos aptitudes et que vous croyez que ça ira mal, vous créez une prophétie auto-accomplie : le fait de croire qu'une chose va se produire contribue à la réalisation de l'événement. Les prophéties négatives auto-accomplies constituent des barrières psychologiques qui engendrent un cercle vicieux : l'attente de l'échec mène à l'échec, qui à son tour, affecte l'image de soi et augmente l'expectative d'échecs ultérieurs.

La confiance provoque des émotions positives. Lorsque vous êtes confiant, vous êtes plus calme et détendu sous la pression. La détente corporelle et mentale vous permet d'être agressif et de vous affirmer lorsque le résultat de la compétition est en jeu. Lorsque vous êtes confiant, votre esprit est libre de se concentrer sur la tâche à accomplir et lorsque vous n'êtes pas confiant ; vous vous inquiétez de la qualité de votre rendement et de ce que les autres vont penser. La peur de l'échec perturbe la concentration et provoque la distraction. A aptitude égale, les athlètes qui remportent la victoire en compétition sont habituellement ceux qui croient en eux et en leurs possibilités.

2.10.3.2. L'anxiété

C'EST UNE RÉPONSE DE l'organisme confronté aux nombreuses et changeantes demandes environnementales. En première approche, on peut dire que l'anxiété se manifeste par le développement d'affects négatifs, de sentiments d'appréhension et de tension, associés à un haut niveau d'activation de l'organisme (Martens, Valey et Burton, 1990). Il s'agit donc d'une réponse complexe mêlant les dimensions cognitives et somatiques. Selon Spielberg

(1972), l'état d'anxiété est lié à la perception d'une menace, c'est-à-dire à l'évaluation de la situation actuelle perçue comme dangereuse physiquement ou psychologiquement.

Martens, Valey et Burton (1990) ont consacré des études à l'anxiété chez les sportifs. Ils ont trouvé que la perception de la menace dépend de deux variables indépendantes : la perception de l'importance du résultat et la perception de l'incertitude du résultat. Le modèle proposé par ces auteurs distingue en outre l'état d'anxiété qui est la réponse comportementale, dérivant de la perception de la menace et le trait d'anxiété qui apparait comme une caractéristique plus permanente du sujet.

Rappelons que le trait d'anxiété est un facteur de la personnalité qui prédispose le sportif à percevoir la compétition et l'évaluation sociale plus ou moins menaçante. Ainsi, le sportif dont le trait d'anxiété est élevé perçoit la compétition plus menaçante que le sportif dont le trait d'anxiété est faible. L'influence des deux dimensions de l'anxiété sur la performance constitue également un argument en faveur de leur indépendance. La performance décroit de manière linéaire quand s'élève l'anxiété cognitive ; l'anxiété somatique est liée à la performance par la relation en U inversé (Burton, 1988 ; Gould et coll., 1987). Dans un premier temps, l'anxiété somatique permet une amélioration du niveau de performance, mais au-delà d'un optimum, cette dernière tend à se détériorer. L'influence négative de l'anxiété cognitive est généralement expliquée par le détournement de l'attention qu'elle induit. Le sportif, absorbé par ses expectations négatives ne peut focaliser son attention sur les signaux pertinents.

2.10.3.3. Le stress

PARMI LES NOMBREUX facteurs qui influencent la performance, le stress joue un rôle important au moment de la réalisation d'une tache ou d'un objectif perçu comme important, par exemple jouer un match dont le résultat est décisif pour la suite de la compétition. Les sportifs ont tendance à perdre leur calme, à se désorganiser et donc à réaliser une mauvaise performance. Les sportifs de haut niveau connaissent ce problème et ils expliquent que le stress peut être, dans une certaine mesure, bénéfique en leur permettant de se mobiliser, au-delà d'une certaine limite, il peut avoir au contraire des effets débilitants sur la performance. Beaucoup d'ailleurs s'accordent à admettre que l'un des aspects primordiaux de l'expertise du champion est d'être capable de gérer le stress (Patmore, 1986 ; Jones et Hardy, 1989). Par rapport à l'ensemble de ces considérations physiques, technicotactiques, et psychologiques (émotionnelles), l'entraînement vu sous tous ces aspects, peut être pris comme un support important dans la recherche de la performance.

2.11. Analyse des contraintes psychologiques liées au sport

IL NOUS SEMBLE IMPORTANT d'analyser les contraintes psychologiques liées au sport pour justifier l'importance pour un sportif d'être compètent psychologiquement. En effet, les nombreuses stratégies utilisées par les sportifs expliquent l'importance de la préparation psychologique à la haute performance. Dans les sports collectifs, les sportifs s'expriment par les interrelations entre les individus : sur le terrain au travers des notions d'échange, d'aide, de communication mais aussi en dehors du terrain avec, par exemple, les changements de joueurs qui peuvent intervenir à tout moment quel que soit le statut du joueur, d'où l'existence de statut particuliers des joueurs titulaires et des joueurs remplaçants. Ces statuts jouent un grand rôle de sur l'état mental et l'estime de soi des joueurs. Ensuite, le sport collectif créait des situations d'affrontement individuel et collectif, physique et psychologique qui privilégie les duels au sein d'une opposition collective ou chacun(e) livre un combat avec son adversaire direct tout en restant au service de l'équipe. Les notions de groupe et de cohésion y prennent tout leur sens quand il s'agit d'atteindre des buts identiques et de faire collaborer les individus pour y parvenir.

En réalité, on y retrouve des situations de transitions et d'enchaînements où les individus et l'équipe changent régulièrement de statuts, passant d'attaquants à défenseurs, de porteur du ballon à joueurs sans ballon, et où les actions s'enchaînent avec peu d'interruptions (ex ; rebond défensif et contre-attaque au basketball). Enfin, le sport collectif a la particularité de développer une motricité spécifique en faisant appel aux qualités du joueur au service du collectif. A ce niveau l'aspect mental donne au jeu tout son sens dans la mesure où, la qualité des conduites du ballon (pour les sports de main et de pieds), la précision dans le jeu fait des sports collectifs une combinaison de la maîtrise technique et mentale. Le relâchement, l'agressivité, la concentration spontanée et durable, la volonté, l'engagement et les prises de décision efficiente sont les caractéristiques psychologiques essentiels. Pour être performant, les aspects collectifs restent prédominants. Ils sont déterminants dans la victoire.

En effet, quel que soit le niveau technique de chaque joueur, c'est le résultat collectif qui donne au sport collectif toute sa saveur. Cela comprend les choix tactiques et stratégiques mais également la capacité de chaque joueur à mettre à profit son " talent ", c'est à dire sa présence sur la tâche qu'on lui a assignée, au service de l'équipe. Par ailleurs, on entend aussi par " collectif ", la capacité de tous les joueurs à " jouer ensemble ". On fait alors intervenir la notion de cohésion, déterminante pour la suite des événements. Les sports collectifs représentent ainsi un espace socio moteur à l'opposé des sports individuels où l'espace est plutôt psychomoteur et où l'athlète ne compte que sur lui-même. En plus, les interactions se font par un système de dominant-dominé sous un rapport direct et sans intermédiaire.

Le sport peut également présenter de d'autres contraintes psychologiques pour les athlètes, notamment:

● La pression de la performance : Les athlètes sont souvent confrontés à une forte pression pour performer à leur meilleur niveau. Cela peut être dû à l'attente des fans, des entraîneurs, des coéquipiers ou des sponsors. Cette pression peut être difficile à gérer et peut entraîner du stress, de l'anxiété et une diminution de la confiance en soi.

● La gestion des émotions : Les athlètes peuvent être confrontés à un large éventail d'émotions pendant leur carrière sportive, notamment l'euphorie, la frustration, la colère et la déception. La capacité à gérer ces émotions est essentielle pour maintenir une performance optimale et pour éviter les problèmes mentaux et émotionnels.

● Les blessures : Les blessures sont une réalité pour de nombreux athlètes et peuvent avoir un impact considérable sur leur santé mentale. Les athlètes peuvent ressentir de la frustration, de la colère et de la dépression lorsqu'ils ne peuvent pas jouer à leur meilleur niveau ou lorsqu'ils sont contraints de prendre une pause forcée.

● Les conflits d'intérêts : Les athlètes peuvent être confrontés à des conflits d'intérêts entre leur carrière sportive et leur vie personnelle. Par exemple, ils peuvent être confrontés à des dilemmes quant à leur loyauté envers leur équipe, leur entraîneur ou leur pays, ou quant à leur besoin de prendre soin de leur santé physique et mentale.

● La retraite sportive : La transition vers la retraite sportive peut être un moment difficile pour les athlètes, car elle implique souvent un changement majeur dans leur vie. Les athlètes peuvent ressentir de la dépression, de l'angoisse et une perte d'identité lorsque leur carrière sportive se termine.

Il est donc important que les athlètes soient conscients de ces contraintes psychologiques et qu'ils cherchent à les gérer de manière proactive pour maintenir leur santé mentale et leur bien-être tout au long de leur carrière sportive.

3. La Psychologie du Sport

Analyse de la structuration d'une discipline scientifique et académique

Elle a été définie par la Fédération européenne du sport en 1996 comme l'étude des bases psychologiques, des processus et des effets du sport. Si le sport est considéré comme toute activité physique où les individus s'engagent pour la compétition et la santé, la psychologie du sport elle est reconnue comme une science interdisciplinaire qui s'appuie sur les connaissances de nombreux domaines connexes, notamment la biomécanique, la physiologie, la kinésiologie et la psychologie. Cela implique l'étude de la façon dont les facteurs psychologiques affectent la performance et comment la participation au sport et à l'exercice affecte les facteurs psychologiques et physiques.

A l'instar des autres disciplines scientifiques, la Psychologie du Sport s'active à aider l'entraineur à comprendre comment le sportif agit, pense et sent aussi bien à l'entrainement qu'en compétition (Burton D, Raedeke T. IX, 2008). La discipline est considérée par les professionnels comme *l'étude du comportement et des processus mentaux des sportifs*.

De plus, la contribution des facteurs psychologiques de la performance sportive est de plus en plus reconnue (Martens R. , 2004). La psychologie sportive s'adresse à une population très large et cherche à comprendre et à aider les sportifs de haut niveau, les jeunes, les personnes physiquement ou mentalement défavorisées, les personnes âgées et tous les participants à atteindre leur performance maximale, leur satisfaction personnelle et leur plein développement par leur participation au sport. Les psychologues du sport enseignent des stratégies cognitives et comportementales aux athlètes afin d'améliorer leur expérience et leurs performances dans le sport.

En plus de l'enseignement et de la formation des compétences psychologiques pour l'amélioration des performances, la psychologie appliquée au sport peut inclure le travail avec les athlètes, les entraîneurs et les parents concernant les blessures, la réadaptation, la communication, la constitution d'équipes et les transitions de carrière.

3.1. Genèse de la Psychologie du Sport

Il n'existe pas de discipline sans histoire autant qu'il n'existe d'histoire sans précurseurs. À bien des égards, l'histoire de la psychologie du sport reflète l'histoire d'autres disciplines de longue date, notamment la psychologie, l'éducation physique et d'autres disciplines liées à la kinésiologie. Elle a ainsi progressé à travers plusieurs phases avant d'être reconnue mondialement. La psychologie du sport est une science qui tente de comprendre les athlètes de haut niveau tout en essayant d'apporter des solutions aux problèmes d'ordre psychologique et moteur. Historiquement, la psychologie du sport peut être identifiée comme une discipline scientifique et une profession. On peut compter ses débuts entre 1895 et 1940 mais les évènements prémonitoires se sont déroulés aux états unis d'Amérique, en Europe et en Asie.

Cependant, on ne peut parler de spécialistes ou de psychologues de sport à cette époque puis que les contributeurs étaient des psychologues, des enseignants d'éducation physique et des médecins. Leurs travaux ont démontré un intérêt pour ce que l'on appelle maintenant le domaine de la psychologie du sport puis que certains chercheurs ont continué à explorer des sujets du domaine et des sujets connexes tout au long du début des années 1900 ; c'est le cas des psychologues américains Karl Lashley et John B. Watson qui ont mené une série d'études sur l'acquisition de compétences en tir à l'arc. En Europe, l'allemand Miesemer (en 1903) et le russe Lesgaft (en 1909) sont à l'origine respectivement de la première mesure et de la première publication, et se sont intéressés aux bienfaits du sport au niveau mental et sur l'influence de la psychologie sur la pratique sportive. Jusqu'en 1920, l'étude systématique dans le domaine de la psychologie du sport a vacillé.

La majorité des chercheurs qui se sont penchés sur l'histoire de la psychologie du sport s'accordent sur son avancée rapide vers la fin des années 1800 aux États-Unis et en Grande-Bretagne, où des athlètes, des éducateurs, des journalistes et d'autres ont manifesté leur intérêt sur les caractéristiques psychologiques des athlètes de haut niveau.

C'est en 1894 que les scientifiques Philippe Tissie (médecin français) et Edward Scripture (psychologue américain) avaient publiés les premières études dans le domaine et ont travaillé respectivement sur les changements psychologiques chez les cyclistes d'endurance et le temps de réaction (au même titre que le professeur de Harvard G. W. Fitz) chez les escrimeurs et les coureurs. Ce dernier a porté ses travaux sur la collecte de données et sur la comparaison des approches qualitatives et quantitative, ainsi que l'amélioration des performances sportives.

Quelques années après les travaux de Tissie, Scripture et Fitz, c'est au tour du psychologue américain Norman Triplett qui a initié la première recherche portant sur l'influence du groupe. Norman Triplett est né dans une ferme près de Perry dans l'Illinois en 1861. En 1898, il écrit ce qui est maintenant reconnu comme la première étude publiée dans le domaine de la psychologie sociale. Son expérience concernait l'effet de facilitation sociale qui affirme que sous l'effet de groupe, un individu pouvait trouver une stimulation l'amenant à dépasser ses performances individuelles. *Il a été affirmé que:*

> *"Triplett avait en effet remarqué que les coureurs cyclistes ont tendance à rouler plus vite en présence d'une tierce personne que s'ils sont seuls. Il a par la suite démontré cet effet dans une expérience contrôlée en laboratoire et a conclu que les enfants effectuent par deux une tâche simple, sont plus rapides que lorsqu'ils font cette même tâche tout seul".* (Green & Benjamin, 2009)

On est porté de croire qu'Usain Bolt ne battrait pas ses records en dehors de concurrents et un public excité. Bref, en Europe, plusieurs personnalités ont œuvré à la construction de cette discipline. Cependant, on se garderait de les considérer comme des spécialistes du domaine à cette époque puis que ce sont des professeurs d'Education physique, médecins, philosophes, ou membre d'organisation sportive, notamment en France, avec le fondateur du mouvement olympique le Baron Pierre de Coubertin qui a démontré un très grand intérêt pour la psychologie du sport. Ces travaux ont porté sur les facteurs motivationnels des enfants qui participent à l'athlétisme, sur l'importance de l'autorégulation et sur le rôle des facteurs psychologiques dans l'amélioration des performances. Il a montré un grand intérêt aux facteurs psychologiques dont il en a fait des thèmes principaux lors de deux congrès olympiques. En 1900, il publia un article intitulé *"La psychologie du sport"* et en 1913, un autre intitulé *"Des Essais de psychologie sportive"*. Son influence est contestable sur le développement de la discipline jusque dans les années 1940.

En Allemagne, le véritable début de la psychologie du sport à commence en 1920 avec DIEM qui fonde le premier laboratoire de psychologie du sport et suivi de SCHULTE et SIPPEL, qui eux, vont étudier notamment, les comportements moteurs, le développement moteur et l'apprentissage moteur. En effet, c'est à Charlottenburg (Allemagne), que Robert Werner Schulte a ouvert un laboratoire de psychologie du sport en 1920 à l'Université allemande d'Education physique (Deutsche Hochshule für Leibesübungen). Son livre intitulé *Body and Mind in Sport* y a été produit.

En Russie, les scientifiques Puni et Roudik, respectivement des Instituts de la culture physique de Moscou et de Leningrad ont fait des travaux universitaires remarquables. En effet, les travaux de Piotr Antonovich Roudik ont porté sur la perception, la mémoire, l'attention et l'imagination, tandis que Avksenty Cezarevich Puni a étudié les effets de la compétition sur les athlètes et la préparation psychologique. Ils sont les fondateurs de l'institut d'éducation physique de Moscou.

A noter qu'au Japon, le fondateur de la psycho du sport est Miatsiu, en 1924. Il est à l'origine de la création du premier institut de recherche en Education Physique. Ces travaux ont porté sur l'étude des attitudes et des opinions face au sport. Des travaux orientés du domaine de la psychologie sociale.

Le domaine de la psychologie du sport a boitillé jusqu'en 1925, lorsque le psychologue Coleman Griffith a fondé le premier laboratoire américain de psychologie du sport à l'Université de l'Illinois. En 1918, Griffith a commencé à enquêter de manière informelle sur les facteurs psychologiques liés au basket-ball et au football en observant les équipes de l'Université de l'Illinois. En 1925, Griffith a été nommé directeur du nouveau laboratoire de recherche sur l'athlétisme ou il a conduit des travaux sur les compétences psychomotrices, l'apprentissage, le temps de réaction, la personnalité et la façon dont la rotation affectait l'équilibre. Il a ainsi développé des tests pour mesurer le temps de réaction, la tension et la relaxation musculaires, la coordination, l'apprentissage et la vigilance mentale. Un de ses domaines d'études a porté sur les traits (élément stable) de caractère et non sur l'état du sujet. Ceci l'a amené enquêter sur des athlètes et a conçu des questionnaires d'entretien pour en savoir plus sur leurs expériences pendant la compétition. Le Dr Coleman R. Griffith (1893

- 1966), a également enseigné les premiers cours de psychologie du sport à l'Université de l'Illinois en 1923.

Un des chercheurs qui a influencé positivement la psychologie du sport est Franklin M. Henry puis qu'en 1938, il a examiné l'impact de quelques facteurs psychologiques sur les habiletés motrices des athlètes. Il a également étudié comment les hautes altitudes peuvent avoir un effet sur l'exercice et la performance, l'aéroembolie[17] et le mal de décompression, et des études sur la perception kinesthésique, l'apprentissage des habiletés motrices et la réaction neuromusculaire ont été menées dans son laboratoire (Park, 1994)[18] En 1964, il écrivit un article "*L'éducation physique : une discipline académique*", qui contribua à faire progresser la psychologie du sport et commença à lui donner sa forme savante et scientifique. De plus, il a publié plus de 120 articles, a été membre du conseil d'administration de diverses revues et a reçu de nombreux prix et distinctions pour ses contributions.

Cependant, la parution en 1951 de l'ouvrage de Lawther : " Psychology of Coaching " marquait un tournant décisif dans le domaine de la psychologie du sport. On peut donc considérer le véritable envol de la psychologie du sport vers 1940 avec le grand intérêt que lui portaient les éducateurs physiques et des psychologies mais aussi la création d'institut de recherche.

En effet, si les éducateurs visaient une application dans la pratique, les psychologues montraient une orientation plus théorique. Ainsi, la psychologie du sport est introduite comme une sous-discipline de la psychologie générale, ce qui porta un boost à son développement avec des influences majeur, c'est-à-dire le domaine de connaissance (psychologue ou éducateur physique) et l'influence politique et sociale. En Union Soviétique, le but était de valoriser la nation en améliorant les performances des athlètes, tandis qu'en Amérique du Nord, on visait plutôt le développement humain. Ainsi, plusieurs domaines principaux peuvent été classés:

- Le domaine de la Recherche que dominait l'URSS

- Le domaine d'une Application Pratique très marqué en URSS

- Le domaine Clinique noté surtout en Europe et aux États Unis d'Amérique dont l'intervention est la visée principale.

● L'Apprentissage moteur consacré dans les pays Européens et aux États Unis d'Amérique.

Au niveau de la recherche, l'aspect social est largement pris en compte par les chercheurs. En effet, la psychologie sociale s'est penchée sur l'influences du groupe sur la motivation, la performance, la cohésion etc. Au niveau pathologique, un grand intérêt est porté à la boulimie, à l'anorexie, aux TOC[19], etc. Au niveau clinique, la psychanalyse et le rôle des pulsions ont fait l'objet d'examens sur une longue période tandis que le domaine du développement à chercher à comprendre le comportement des sportifs. D'autres domaines comme la psychologie différentielle se sont penchés sur la personnalité, l'intelligence, l'hérédité, différence homme – femme. La psychologie expérimentale, elle, s'est concentrée sur la recherche en laboratoire et la mise en pratique. Ces différents domaines identifiés vont permettre aux psychologues et éducateurs sportifs de s'organiser en créant des structures variées dont les buts sont identiques et consistent à faciliter le développement de compétences, de techniques, d'attitudes, de perspectives et de processus mentaux et émotionnels qui mènent à l'amélioration des performances et au développement personnel positif. Elles sont implantées dans tous les continents avec des niveaux de déploiement variables. Ainsi, la psychologie du sport est reconnue en tant que discipline structurée, autonome, scientifique et professionnelle.

3.1.1. Une discipline structurée

La psychologie du sport est une discipline structurée. Plusieurs organismes, fédérations, sociétés, ligues et associations se sont formés sur le plan national et international. Sur le plan national, on note l'existence, notamment en France de la Société Internationale de la Psychologie du Sport (ISSP), de la Société Française de Psychologie du Sport (SFPS) et au Canada, de la Ligue Canadienne de la Psychologie du Sport. L'ISSP fut fondé en 1965, dans le but de promouvoir et de diffuser partout la connaissance en psychologie. Il a appuyé l'organisation de huit congrès mondiaux portant, entre autres, sur des thèmes tels que la performance humaine, la personnalité, l'apprentissage moteur, le bien-être et l'activité physique et la psychologie de l'entrainement.

LA PSYCHOLOGIE DU SPORT ET LA PERFORMANCE EN AFRIQUE

Aux États Unis d'Amérique, on remarque l'association de la psychologie appliquée au sport AASP (*Association of Applied Sport Psychologie*). En plus, il y a la Société Américaine du Nord pour la Psychologie du Sport et de l'Education Physique (*North American Society for Psychology of Sport and Physical Activity*) et aussi l'Académie Américaine du Mouvement Humain et de l'Education Physique

Sur le plan international, il y a la Fédération Européenne de la Psychologie des Sports et des Activités Corporelles (FEPSAC). En Italie, le souci de déterminer les facteurs psychologiques et pédagogiques du sport de compétition anima de nombreux spécialistes. Le premier congrès International en psychologie du sport a été organisée à Rome en 1965. Ces rencontres accroissent la visibilité de la discipline et suscitent un intérêt grandissant. Depuis 1970, l'ISSP cautionne la publication du Journal International de Psychologie du Sport (IJSP). Une grande part du mérite, dans l'évolution de la psychologie du sport au plan international, revient à l'italien Feruccio Antonelli, qui a été le premier président d'ISSP et le premier éditeur d'IJSP. La psychologie du sport est dorénavant reconnue mondialement, à la fois, comme discipline universitaire et comme profession.

En Afrique subsaharienne, la psychologie du sport est une discipline relativement nouvelle. Les experts dans ce domaine sont rares malgré l'utilisation de facteurs psychologiques par les sportifs à l'entraînement-compétition, et les entraîneurs dans le cadre de leur intervention. En effet, le premier congrès de la psychologie du sport en Afrique a eu lieu en Afrique du Nord, au Maroc, sous le thème: *Introduction de la psychologie du sport en Afrique* (Aujourdhui Le Maroc, 2004). Initié par l'association marocaine de la psychologie du sport (AMPS), l'objectif était d'interpeller le CIO pour l'organisation du Congrès International à Marrakech en 2009, une première en Afrique. Ce congrès a réuni *"près de 1000 chercheurs et experts en psychologie sportive, représentant 50 pays des quatre continents, en plus de spécialistes en la matière, des sportifs de haut niveau, des entraîneurs, des professeurs et étudiants en éducation physique et des présidents des fédérations sportives nationales, des ligues régionales et des clubs "* (le quotidien magrébin, 2009).

En Afrique de l'Ouest, la plupart des instituts d'Education physique prennent en compte la psychologie dans le cursus de l'étudiant en STAPS/

J-L[20]. Il s'agit de la psychologie générale portant sur l'aspect génétique, cognitif, différentiel et social de l'enfance à l'adolescence. Elle cherche à donner un aperçu global de la personnalité et de l'intelligence des apprenants des cycles primaires et secondaires tout en mettant l'accent sur la psychomotricité chez les 10 ans et moins. Cependant, la psychologie du sport apparait pour la plupart des curricula et maquettes qu'à partir du master.

Au Sénégal, la prise en compte de la psychologie du sport dans les programmes universitaires de recherche et d'enseignement connait une effectivité chancelante avec l'inscription dans les maquettes de la section STAPS de l'Unité de Formation et de la Recherche (UFR) en Sciences de l'Education, de la Formation et du Sport (SEFS) de l'Université Gaston Berger (UGB) de St Louis d'une Licence dénommée Education et Motricité (LEM). Néanmoins, la formation de spécialistes ou diplômés en psychologie du sport n'a pas encore vu le jour. Les cours dispensés dans lesdits instituts ne sont en réalités que des cours théoriques inclus dans le cursus de formation des élèves-enseignants en éducation physique et sportive au niveau de l'INSEPS de Dakar et de l'UFR-SEFS de St Louis, du Centre National d'Education Populaire et Sportive (CNEPS) de Thiès et de celui de la formation des entraîneurs de quelques disciplines sportives.

La psychologie du sport en tant que discipline scientifique bénéficie d'une certaine légitimité. En effet, elle est couverte par le CTS-STAPS (Sciences et Techniques des Activités Physiques et Sportives) en sa section sciences humaines et sociales appliquées aux APS, par l'École Doctorale des Sciences de l'Homme et de la Société, et par le laboratoire du CIERVAL sponsorisé par l'UFR des Lettres et Sciences Humaines de l'Université Gaston berger de Saint Louis du Sénégal. Le professeur des universités, feu Gora MBODJ à pendant longtemps dirigé le CTS STAPS/J-L au CAMES[21].

Fort d'une couverture institutionnelle, ce livre cherche à contribuer au développement de la discipline de la psychologie du sport aussi bien à l'UGB de St Louis, à travers une validation des acquis épistémologiques et tendanciels de cette récente discipline, qu'en Afrique et dans le monde. Ce modèle est réplicable dans les pays du centre, de l'est et du sud de l'Afrique sans véritablement retrouver une organisation de type 1901[22] comme au Maroc. En Côte d'Ivoire, la psychologie du sport est enseignée à l'Institut National de la Jeunesse et des Sports d'Abidjan – INJS. Au Bénin, c'est le même format avec l'inscription au programme de la psychologie générale en licence et la psychologie du sport au master professionnel au niveau de l'Institut National de la Jeunesse, de l'Education Physique et du Sport (INJEPS). L'institut basé à l'Université de Porto Novo, offre deux (2) spécialités de formations :

- Sciences et Techniques des Activités Physiques et du Sport (STAPS) avec 3 cycles : Licence, Maîtrise STAPS, CAPEPS, CAPS, Inspectorat, Master, Doctorat.

- Sciences et Techniques des Activités Socio-éducatives (STASE) avec trois (3) cycles Licence, Maitrise STASE, Administrateur STASE, Inspectorat.

Les professionnels qui s'occupent de la psychologie du sport sont des éducateurs détenteurs de PhD et se sont succédés pendant les 20 dernières années. Il s'agit de:

- Dr Liberat TANIMOMO (admis à la retraite)
- Feu Dr Antoine ATTIKPA
- Professeur Pierrot EDOH

En Afrique de l'Est, la discipline est pratiquement absente malgré l'existence d'instituts d'Education physique et du sport. Au Burundi, l'IEPS de l'université de Bujumbura dispense des cours de psychologie (prof Josias NDIKUMASABO) aux étudiants du département des Sciences et Techniques des Activités Physiques et Sportives (STAPS) suivant les filières d'Education physique ou en entrainement sportif ou ceux du département en Sciences et Techniques des Activités Socio-Éducatives (STASE).

3.1.2. Une discipline autonome et scientifique

A l'instar des domaines et des structures qui cités ci-dessus, on remarque la création de revues scientifiques qui diffusent les différentes études. Ces études ont suivi une certaine évolution, d'abord sur une période humaniste où la valorisation de l'homme est marquée par les études avant 1960. Ensuite, la période scientifique s'est déroulée entre 1960 et 1966 où les études ont porté sur les expérimentations, puis la psychologie générale s'est adaptée à la psychologie du sport. Enfin, vers la fin des années 70, la psychologie du sport a connu une application pratique surtout en France avec RIOUX (1973) qui en est le fondateur.

Cependant, il faut noter que cette autonomie et cette scientificité se sont faites de manière assez progressive. Par exemple, l'acceptation est très différente selon les pays. Ainsi, aux USA et en Europe de l'Ouest, elle est incluse dans les Science du sport tandis qu'en URSS la reconnaissance est moins scientifique et plus psychologique et se réalise en 1965. Les premières expérimentations des théories de la psychologie à la psychologie du sport s'effectue en 1966 où, par exemple, les limites sur les traits de personnalité sont examinées et les contenus spécifiques sont créés.

Ainsi, l'aspect scientifique de la discipline, la démarche scientifique qui nécessite une expérimentation, un protocole de recherche, la formulation des hypothèses et des résultats, transforme la psychologie du sport en sciences du sport. Une identité est trouvée à la discipline grâce aux scientifiques comme Rainer Martens[23] qui fait des applications pratiques de la psychologie au sport sur la base de protocoles expérimentaux in situ (1970).

Rainer Martens publie un article intitulé "About Smocks and Jocks" en 1979, dans lequel il explique que l'application pratique des recherches spécifiques en laboratoire à des situations sportives est laborieuse. Il s'est posé la question de savoir comment la pression de tirer un coup franc devant 12 000 fans hurlants peut-elle être répliquée en laboratoire ? Il affirme qu'il a:

> *" De sérieux doutes sur le fait que des études psychologiques isolées qui manipulent quelques variables, essayant de découvrir les effets de X sur Y, puissent être cumulatives pour former une image cohérente du comportement humain ". Il affirme qu' " il sent que le contrôle aisé réalisé dans la recherche en laboratoire est tel que tout sens est vidé de la situation expérimentale ". ???*

Pour lui, la validité externe des études de laboratoire se limite au mieux à prédire le comportement dans d'autres laboratoires Sa contribution à l'évolution de la psychologie du sport mérite de s'y attarder et le décrire en profondeur. Selon les archives de la librairie de l'université de l'Illinois, Rainer Martens est né le 8 novembre 1942 à Rüsselsheim, en Allemagne. Il a obtenu un B.S.E. diplôme en Education physique de l'Emporia State University en 1964 et un M.S. de l'Université du Montana en 1965. Martens a obtenu son doctorat de l'Université de l'Illinois à Urbana-Champaign en 1968 et est devenu professeur adjoint de kinésiologie à l'Université de l'Illinois. En 1984, Martens a quitté son poste universitaire à l'Université de l'Illinois afin de se consacrer à plein temps à sa maison d'édition, *Human Kinetics*, qu'il avait fondée en 1974.

Rainer Martens est l'auteur de plus de quatre-vingts articles scientifiques et de dix-sept livres. En 1977, il publie le *Sport Competition Anxiety Test* (SCAT), le premier instrument permettant d'évaluer l'anxiété spécifique au sport. Son livre *Successful Coaching*, publié pour la première fois en 1981, est le manuel de coaching le plus largement adopté sur les campus universitaires, avec plus d'un million d'exemplaires vendus. En tant que psychologue du sport de renommée internationale, Martens a travaillé avec des athlètes de tous niveaux académiques et professionnels. Il a siégé au conseil exécutif de Kids Wrestling International (1977-1981) et au conseil consultatif national des Boys Clubs of America (1982-1984). Il a également été directeur de la médecine sportive de la USA Wrestling (1977-1982). Martens a été psychologue du sport des équipes américaines de ski nordique de 1978 à 1984 et a accompagné l'équipe aux Jeux olympiques d'hiver de 1984 à Sarajevo.

3.1.3. Une discipline professionnelle.

Le titre de psychologue du sport apparait en Europe dès 1980 et était associé aux psychologues spécialisés dans le domaine du sport mais aussi aux éducateurs sans formation en psychologie. Aux USA, le registre de psychologie du sport de l'USOPC existe depuis les années 1980 et représente une liste de "distributeurs" de psychologues du sport approuvés qui servent de ressources de référence pour les athlètes olympiques et paralympiques. En effet, pour devenir psychologue du sport et de l'exercice, il faut soit un diplôme en psychologie accrédité par la *British Psychological Society* (BPS), soit une maîtrise accréditée par la BPS en psychologie du sport et de l'exercice ou soit la participation à un programme structuré de pratique supervisée et accrédité par le Health and

Care Professions Council (HCPC). Dans ce registre, on note trois (3) types d'intervenants.

D'abord les éducateurs qui ont une grande connaissance du terrain et qui sont du domaine du sport, ils n'ont pas forcément de formation en psychologie générale car non obligatoire. Ensuite, il y a les cliniciens qui ont une formation de base en psychologie et dont le rôle est de gérer les problèmes de dépression et de troubles alimentaires... Et enfin, les chercheurs qui travaillent sur la baisse d'anxiété, sur les techniques d'imageries, etc...

En France, les professionnels de psychologie du sport sont d'une part, les psychologues diplômés en faculté du sport qui visent à améliorer les connaissances en psychologie du sport, et d'autres part, les intervenants en psychologie du sport qu'on identifie comme des préparateurs mentaux. En réalité, ce sont plus facilement des éducateurs (qui viennent du terrain) qui deviennent des entraîneurs mentaux car ils ont plus facilement une formation en psychologie du sport et pas en psychologie générale.

La psychologie du sport n'est pas règlementée en suisse qui compte des membres ordinaires ayant un cursus de psychologie et les membres extraordinaires qui sont soit des étudiants en psychologie qui n'ont pas fini le cursus en psychologie ou alors des personnes qui ont une autre formation. La Suisse distingue l'entraîneur mental (non protégé) à un psychologue du sport qui est protégé. Les psychologues du sport sont appelés à remplir certaines missions au près des sportifs de haut niveau dont : Une mission de Préparation à la compétition, à la performance. Il s'agit pour eux d'anticiper sur tous les problèmes prévisibles en travaillant par exemple sur la fixation d'objectifs pour augmenter les motivations et diminuer les craintes. Une mission de prévention des états psychologiques liés au stress et à l'anxiété, pouvant entrainer une démotivation après la réalisation de mauvaises performances, à la peur, à la réinsertion professionnelle ou bien à la reconversion du sportif. Une mission de Réparation qui se fait souvent dans l'URGENCE ou le psychologue tente par exemple de régler une situation de crise.

3.2. Fonctions du Psychologue du Sport

IL ASSURE DE NOMBREUSES fonctions dont:

● Évaluation psychologique : le psychologue du sport peut évaluer les aptitudes mentales des athlètes, notamment leur motivation, leur niveau d'anxiété, leur confiance en eux, leur concentration, leur estime de soi et leur capacité à gérer le stress.

● Intervention : le psychologue du sport peut fournir des techniques et des stratégies pour aider les athlètes à améliorer leur performance, notamment la visualisation, la relaxation, la gestion du stress et des émotions, ainsi que la préparation mentale avant les compétitions.

● Conseil : le psychologue du sport peut aider les athlètes à faire face aux problèmes psychologiques liés à la performance sportive, tels que la pression, les blessures, les conflits d'équipe, la vie après la retraite sportive, etc.

● Collaboration : le psychologue du sport peut travailler en étroite collaboration avec les entraîneurs, les médecins et les autres membres de l'équipe sportive pour aider à résoudre les problèmes liés à la performance.

● Recherche : le psychologue du sport peut mener des recherches pour aider à mieux comprendre les facteurs psychologiques qui influencent la performance sportive et développer de nouvelles techniques pour améliorer la performance.

En résumé, le rôle du psychologue du sport est d'aider les athlètes à atteindre leur plein potentiel en améliorant leur santé mentale, leur bien-être et leur performance sportive. Les marabouts joueraient-ils le même rôle ?

3.3. État de la recherche sur les facteurs psychologiques et la performance.

Comme dans le cas de plusieurs champs en psychologie du sport, Coleman Griffith a été le premier à s'intéresser aux qualités psychologiques en sport et à suggérer que les sportifs sont différents au niveau de qualités mentales. Martens (1987, p.74) l'explique en ces termes :

"Nous savons que certaines personnes voient mieux que d'autres......certaines personnes ont une meilleure attention que d'autres...certaines personnes ont une meilleure imagination que d'autres.....si nous acceptons que nous sommes ce que nous sommes vis-à-vis de ces qualités psychologiques seulement parce que nous avons été différents dans la façon dont nous avons été entrainés, nous découvrirons que nous pouvons faire un meilleur traitement pour certaines de ces qualités mentales...Prendre en charge autant les qualités physiques que psychologiques".

Déjà, entre les années 1920 et 1930 Griffith avait déjà mis en avant l'idée qu'il existe des habiletés mentales que l'on peut apprendre et entrainer. Malheureusement, il y a un gap de 30 années entre l'idée de Griffith et la prise en charge effective de cet aspect psychologique orienté vers la performance. Cependant, le premier effort visant à étudier la relation entre la psychologie et la performance du sportif est orienté vers la théorie du trait de personnalité. Les traits de personnalité ont été stabilisés par les chercheurs au cours des soixante dernières années. Le début des recherches faisait référence aux traits de personnalités tels que l'anxiété (Spielberger, 1966), la motivation à l'accomplissement (Atkinson, 1974), et la confiance en soi (Bandura, 1977) qui étaient tous supposés influencer la performance. Tutko, Lyon et Ogilvie (1969) ont développé l'outil de mesure de la motivation chez le sportif (AMI), spécialement celle de la performance.

L'AMI est destiné à mesurer les traits de personnalité tels que l'agressivité, la détermination et le leadership. Le fait d'attribuer à cet outil la capacité de mesurer la performance sportive avait créé une polémique dans le sens où la plupart des traits mentionnés ne pouvait pas prédire exactement la performance sportive. Malgré les critiques, l'AMI représente une tentative initiale de lier les traits psychologiques à la performance sportive.

Ainsi, les études sur les traits ont dominé la question de la personnalité pendant longtemps, certains changements se sont opérés dans les années 1970-1980 avec une orientation dans une perspective d'apprentissage social. Cette approche estime que l'environnement social pourrait influencer les traits de personnalité, qui étaient considérés plus comme des dispositions changeantes et altérables. A la base, la théorie sociale cognitive (SCT) se concentre sur les différences individuelles résultant d'environnements d'apprentissage différents.

Ainsi, il a été posé l'hypothèse selon laquelle les individus pourraient apprendre les habiletés d'autorégulation comme la réduction de l'anxiété, amélioration de la confiance en soi et la motivation. En fait, la plupart des méthodes d'entrainement utilisées pour développer les habiletés psychologiques en sport avaient été tirées des apprentissages sociaux et de la théorie sociale cognitive. Vers les années 1970, la vague de recherches s'oriente vers la psychologie cognitive qui s'articule bien avec la psychologie du sport par laquelle les entraineurs essayèrent d'enseigner certaines habiletés mentales aux sportifs. Avec le développement des notions de self-régulation et de l'apprentissage des habiletés psychologiques, il sembla raisonnable de s'attendre à ce que les habiletés psychologiques puissent différer entre les sportifs de capacités physiques différentes et de niveau de réussite différent. Les différences entre les sportifs qui ont connu de grands succès et ceux qui ont en connu des moindres mais aussi entre expert et novice avaient été explorées sous l'angle psychologique.

Une des études de base dans ce domaine a été dirigée par Mahoney et al (1977) qui ont exploré les différences entre les gymnastes qualifiés et non qualifiés aux Jeux Olympiques de 1976. Les résultats ont montré que les gymnastes qualifiés se sont révélés avoir plus de confiance en soi, utilisaient plus de discours interne à l'entrainement et en compétition et pensaient beaucoup plus à la gymnastique. Ainsi, même si les deux groupes avaient des qualités techniques élevées, des différences au niveau psychologique persistaient.

Après ces études de base, de nombreuses recherches se penchant sur les différences chez les sportifs de niveau de réussite ou d'habileté varié ont été menées vers les années 1980, et ce champ continu de produire de nouvelles recherches. (Gould et al, 1981 ; Williams et al, 2008 ; Vealey, 2002). Par exemple, il a été trouvé que, comparés aux novices, les experts montraient de meilleures habiletés au niveau de la prise de décision, de l'anticipation, et de l'attention. Parallèlement, la comparaison entre les sportifs qui ont beaucoup de succès et ceux qui en ont moins révéla un niveau élevé de confiance en soi, de concentration et de pose d'objectif pour les premiers. Les études avec les olympiens (Gould, Guinan, Greenleaf, Medberry, & Peterson, 1999) ont trouvé que ceux qui dépassent les attentes ont plusieurs choses en commun, impliquant des plans mentaux détaillés, des objectifs d'entrainement journaliers, l'utilisation constante de l'imagerie et des niveaux de confiance en soi élevés.

En plus des recherches qui se sont penchées sur les qualités psychologiques de sportifs d'élite et sportifs qui ont réussis, une autre ligne de recherches s'est penchée sur les facteurs communs aux grandes performances. Elle s'intéresse à la haute performance (Krane& Williams, 2006) ou à l'automaticité. La ressemblance au niveau cognitif et sur l'état des sentiments dans ces approches implique l'attention, la relaxation, la confiance en soi, l'auto-motivation et le sens du contrôle. Ces pensées et sentiments ne sont pas à l'origine de la haute performance, ils apparaissent plutôt comme liés à celle-ci. Dans tous les cas, que l'on s'intéresse aux champions ou à la haute performance, les recherches montrent un nombre de qualités psychologiques reliées au succès.

A côté de cette approche quantitative de base sur les habiletés psychologiques, on a noté un nombre croissant de recherches qualitatives orientées vers la performance sportive de haut niveau. Orlick et al (1988) ont conduit l'une des premières études classiques dans ce domaine en interviewant des olympiens dans leur tentative de déterminer les éléments communs au succès. Les résultats ont révélé des ressemblances impliquant l'imagerie, la pose des objectifs et la préparation mentale. Depuis cette étude, des interviews sont régulièrement réalisées chez les olympiens pour évaluer leurs qualités mentales, produisant une meilleure compréhension du pourquoi les sportifs sentent et pensent d'une certaine façon, sachant que ces sentiments et pensées peuvent être transformés en performance. Cette étude a aidé à la confection de questionnaire et autre outil d'inventaire pour évaluer objectivement ces qualités.

La plus récente approche qui a influencé le développement et l'évaluation des habiletés psychologiques commença avec le travail de Seligman et al (2000). Ces auteurs se concentraient sur la psychologie positive et la psychologie de l'excellence. Après le retour des militaires de la seconde guerre mondiale, beaucoup d'études se sont consacrées à la réhabilitation afin qu'ils intègrent facilement la société. Seligman et al (2000) essayèrent de réorienter leur recherche vers l'étude de l'excellence en se concentrant sur les dispositions et habiletés psychologiques qui permettent aux individus d'atteindre leur potentiel, l'espoir, l'optimisme, la résistance et la résilience.

Cependant, l'état de la question des qualités psychologiques se heurte à certaines limites au niveau de l'évaluation. Il n'y a aucun doute que l'entrainement des habiletés mentales est devenu une question critique chez les psychologues du sport. Dans l'orientation générale, il existe une variété de méthode pour mesurer les forces et faiblesses des qualités psychologiques d'un sportif donné. Certains psychologues du sport préfèrent les interviews, d'autres choisissent une évaluation basée sur un inventaire objectif, d'autres utilisent une combinaison des deux méthodes ; ou encore d'autres favorisent une approche connue sous le nom de profilement des performances. Dans le profilement de la performance, on demande aux athlètes de comparer leurs habiletés mentales à celles des sportifs d'élite dans leur sport. Cette comparaison est traduite sous forme de fichier profilé que le sportif peut visualiser, ce qui met leurs forces et faiblesses psychologiques en évidences. On se pose donc la question de savoir s'il existe une meilleure méthode d'évaluer les qualités psychologiques. A ce jour, la méthode ou méthode la plus vulgarisée est l'orientation vers la psychologie appliquée au sport. Mais les forces et les faiblesses des différentes approches doivent être discutées.

Un autre problème pose la question du choix des habiletés pour construire un programme d'entrainement mental. Plusieurs études ont investi le champ avec des approches différentes dans l'étude de l'entrainement des habiletés mentales. Cela implique l'enseignement ou l'entrainement des habiletés telles que la pose des objectifs, l'imagerie mentale, la relaxation, le discours interne, le contrôle émotionnel, l'activation, le contrôle des pensées positives et le contrôle de l'attention. Autant d'habiletés qui concernent notre étude actuelle. Mais quelles sont les habiletés sur lesquelles nous devons nous intéresser dans le cadre de l'entrainement des habiletés mentales ? Vealey (2007), a proposé un modèle développé durant les 30 dernières années et qui s'intéressait au développement des habiletés afin de permettre au sportif d'accomplir autant une haute performance que le bien-être personnel. Ce modèle développe l'idée que plusieurs types d'habiletés sont importants pour le succès et le bien être chez les sportifs et les entraineurs, aussi bien dans le cadre de la performance qu'au niveau du développement personnel. Les habiletés de base (la confiance en soi, la pensée productive, la persévérance, la connaissance de soi) sont des ressources internes qui constituent les fondements psychologiques indispensables à l'établissement du succès. Cependant, les habiletés liées à la performance (la gestion de l'effort, le contrôle attentionnel, la perception) sont des qualités psychologiques nécessaires à l'exécution des techniques en compétition. Les qualités liées au développement personnel (l'affirmation de l'identité, la compétence sociale) sont des habiletés mentales qui représentent une marque de maturation du développement personnel déterminant un sentiment élevé de bien-être et de rapport à autrui.

4. La Perspective Anglo-saxonne

Plusieurs concepts utilisés ici cette sont reliés aux différentes aptitudes et méthodes que les sportifs utilisent de manière consciente ou non aussi bien pendant les séances d'entraînement que lors des compétitions. En effet, que l'on soit un grand champion ou un simple novice, les sportifs montrent la plupart du temps des dispositions afin de maîtriser l'activité dans laquelle ils sont imprégnés dans le but de maîtrise ou de performance. Des concepts populaires et suremployés seront discutés dans cette partie : pose des objectifs, contrôle émotionnel, automaticité, relaxation, discours interne, imagerie mentale, contrôle attentionnel, activation et pensées positives.

On trouve dans la littérature plusieurs expressions qui sont consacrées à cette discipline qui cherche à comprendre et à optimiser des processus mentaux et moteurs impliqués dans la production d'une performance sportive. Elles sont désignées par:

- La Psychologie du Sport
- La Psychologie Appliquée au Sport
- La Psychologie de la Performance Motrice et du Sport

Le choix d'une de ces expressions pourrait avoir comme conséquence de titrer différemment le livre. Mais quel que soit le terme employé, ils s'accordent sur le fait que l'expression d'une habileté motrice en compétition exige au préalable de passer par un apprentissage mais aussi par le contrôle des conditions psychologiques de cette habileté dans des conditions difficiles. Théoriquement, deux courants s'opposent sur l'acquisition des habiletés motrices.

Le courant *cognitiviste*, qui défend une vision centraliste (système sensorimoteur) d'une commande motrice dirigée par des programmes moteurs, qui s'oppose au courant *écologique* pour qui le comportement moteur serait stabilisé par un système de contraintes inhérentes à l'organisme, la tâche et son environnement (EUF, 2023).

Pédagogiquement, si l'acquisition et le développement des habiletés motrices nécessitent l'utilisation des instructions, des images, des modèles et des informations rétroactives est davantage mise en avant dans l'approche cognitive, les deux courants insistent sur le besoin de considérer la répétition des mouvements en conditions variées et de difficulté croissante comme le facteur clé.

Une grande partie de la recherche en psychologie du sport est orientée vers la motivation du peut être à l'impact sur les efforts déployés à l'entrainement et en compétition. Ces études ont permis de voir l'influence de l'autodétermination, des buts d'accomplissement, de l'attribution causale et de la fixation d'objectifs sur la motivation. D'un autre côté, il a été établi que l'un des déterminants majeurs de la performance est la confiance en soi sous la forme d'efficacité personnelle.

Les recherches se sont également penchées sur l'anxiété compétitive qui peut être défavorable (lorsqu'elle est associée à la confiance en soi) à la performance. Un certain niveau optimal est requis pour l'anxiété, au-delà duquel celle-ci peut se dégrader. Certains travaux se sont aussi préoccupés aux processus attentionnels et à la concentration en vue d'identifier les qualités attentionnelles à développer chez l'athlète. La manifestation de ces qualités apparaît directement liée aux capacités d'anticipation et de prise de décision du sportif. De même, les recherches sur la dynamique de groupe a permis de comprendre le groupe et les étapes de la formation d'une équipe ainsi les facteurs qui permettent sa performance (la cohésion, le leadership et la relation entre entraîneur et athlètes).

4.1. La Fixation d'Objectifs

POSER DES OBJECTIFS n'est pas une tâche nouvelle chez les entraineurs et les sportifs. Depuis toujours, ces derniers ont posé des objectifs dans leurs activités quotidiennes. Il leur arrive cependant de poser des objectifs inatteignables par rapport à leur potentiel, donc irréalisables, ou même, poser des objectifs démotivants et conduisant au stress. Les sportifs peuvent tirer des bénéfices considérables si les entraineurs leurs apprennent les techniques appropriées.

Les bénéfices qui découlent de la pose des objectifs sont nombreux. En effet, elle améliore la concentration et la confiance en soi, aide à prévenir et à gérer le stress, augmente la motivation intrinsèque, améliore la qualité de l'entraînement et le rend plus motivant, et enfin affine les stratégies et techniques et la performance dans sa globalité. La fixation d'objectifs est l'une des techniques d'amélioration de la performance les plus efficaces en sport.

Locke et al, 1981, ont produit la définition la plus largement acceptée pour le terme "Objectif". Pour ces derniers, un objectif est défini comme " *l'atteinte d'un niveau spécifique d'efficience par rapport à une tâche, suivant un temps déterminé*" (Locke, Shaw, Saari, & Latham, 1981). De manière pratique, ils expliquent que:

> *"Les objectifs se focalisent sur l'accomplissement de standard spécifique, qu'il s'agit d'améliorer sa moyenne de coups à 10 pourcents, ou diminuer son temps pour les 800m, ou simplement perdre 5kg. Cette définition implique aussi que ces performances puissent être accomplies dans une unité de temps bien défini, comme la fin de la saison, dans deux semaines ou à la fin de l'entraînement".*

Même si cette définition donne une description générale d'un objectif, les psychologues du sport ont trouvé utiles de distingués les types d'objectifs. En ce sens, on peut par exemple, faire une différence entre les objectifs subjectifs (se faire plaisir, être en forme, ou faire de son mieux), les objectifs généraux (gagner le championnat ou construire une équipe), et les objectifs spécifiques (augmenter le nombre de passes décisives au basketball). Dans une description plus passionnée, (Kennedy, 1998), p. 25, affirme que:

"Les objectifs ressemblent à des aimants qui nous attirent vers des terrains plus élevés et vers de nouveaux horizons. Ils donnent à nos yeux un point focal, à notre esprit un but et notre force une raison. Sans leur attrait, nous resterons immobiles pour toujours, incapables d'avancer. Un objectif est une possibilité pour accomplir un rêve".

De même, certains auteurs (Martens R. , 1987) ont fait des distinctions entre les objectifs finaux qui sont basés sur le résultat d'une compétition ou d'une rencontre entre deux équipes, et les objectifs de performances qui reposent sur l'amélioration d'une performance précédente. Cependant ces deux types d'objectifs sont consolidés par les objectifs de processus qui spécifient les procédures par lesquelles l'acteur ou le sportif devrait s'engager pendant la compétition. Ces distinctions sont importantes car la plupart des recherches suggèrent que certains types d'objectifs sont plus utiles dans le changement de comportement que d'autres.

Plusieurs stratégies ont été employées comme étant des moyens pour assister les sportifs d'atteindre de haute performance et de réussir un développement personnel. La pose des objectifs est un moyen, une technique qui a non seulement prouvé son influence sur la performance des sportifs à tous les niveaux d'habileté quel que soit leur âge, mais aussi, il est lié aux changements positifs dans certains états psychologiques tels que l'anxiété, la confiance en soi et la motivation. C'est évidemment une technique que les entraineurs et les psychologues du sport devraient employer régulièrement. Malheureusement, selon Gould, 2006:

"La pose des objectifs n'a pas toujours était utilisée efficacement par les entraineurs et les psychologues du sport. Il est faussement établi, par exemple, que parce que les sportifs posent leurs propres objectifs que ces derniers pourraient faciliter leur performance. C'est souvent le cas, Lorsque des sportifs posent des objectifs inappropriés or ne les poses pas du tout de manière élaborée. De même, les entraineurs et les psychologues du sport souvent oublient de mettre en place une procédure de suivi et d'évaluation nécessaire pour rendre les objectifs efficaces. Pour les utiliser efficacement, les entraineurs et les psychologues du sport doivent comprendre le processus de la pose des objectifs et les facteurs qui peuvent les influencer".

C'est une technique pour surmonter l'anxiété et augmenter l'estime de soi. Elle apporte un certain nombre de résultats et repose sur certains principes. Pourquoi la fixation de but est-elle efficace?

4.1.1. Caractéristiques des Objectifs Efficaces

LES OBJECTIFS MOTIVENT les sportifs (Locke E., 1996) en leur permettant de se focaliser sur des taches spécifiques, en augmentant leurs efforts et leur intensité, mais aussi en leur aidant à faire face à l'adversité et l'échec.

La fixation et l'atteinte des objectifs boostent la confiance et la motivation des sportifs. Cependant tous ses avantages dépendent de la manière dont les objectifs sont formulés avec les caractéristiques adéquates. Nous devons donc nous poser la question de savoir si la pose des objectifs doit se faire suivant le processus, la performance ou le résultat, afin de nous appesantir sur les différentes caractéristiques de la pose d'objectifs pour maximiser la performance des sportifs.

4.1.2. Objectifs basés sur le processus, la performance et le résultat

SELON BURTON (1989) et Kingston & Hardy (1994, 1997), il vaut mieux se concentrer sur les objectifs basés sur le processus et la performance plutôt que de se focaliser sur les objectifs basés sur le résultat. Les objectifs basés sur le processus se concentrent sur l'amélioration de la technique et des stratégies alors que les objectifs basés sur la performance se centrent plutôt sur la personne: courir plus vite, lancer plus loin.

Quant aux objectifs basés sur le résultat, ils cherchent à dominés les autres compétiteurs, donc gagner. Il semble évident que les objectifs basés sur le résultat exigent que les sportifs atteignent des objectifs basés sur la performance comme courir les 100m en moins de 10 secondes. Pour atteindre cet objectif de performance, les sportifs doivent accomplir des séries d'objectifs basés sur le processus qui se focalise sur la technique, la connaissance et les stratégies. Ces trois types d'objectifs doivent être conceptualisés sur un continuum avec les objectifs basés sur le résultat (le produit) à la fin, les objectifs basés sur le processus au début et les objectifs basés sur la performance entre les deux. Les objectifs basés sur le résultat constituent la destination ultime et les objectifs basés sur le processus et la performance les voies pour y arriver.

• Approche directe: pour Locke & Latham (1990) :

"On fixe son attention sur des points importants que l'on a identifiés, en principe on poursuit ses efforts tant que ces points ne sont pas identifiés. En se fixant des buts, on détermine des moyens/stratégies en relation pour atteindre ses buts"

● Pour l'approche indirecte, il est conclu que:

"La fixation de but marche car cela permet de contrôler le niveau d'anxiété, augmente le niveau de confiance. Le niveau de confiance est déterminé par deux points : les attentes envers le succès et la valence (puissance d'attraction ou de répulsion de l'objectif)" (Weinberg R., 1984)

Figure 1 : continuum des objectifs basés sur le processus, le résultat et la performance

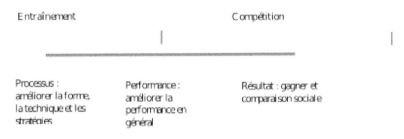

Source: Burton et Raedeke (2008)

4.1.3. Choix d'un objectif efficace

AU-DELÀ DE FAIRE DES objectifs de performance et de processus une priorité au détriment des objectifs de résultat, Locke & Latham (1990), pensent qu'il est fondamental de comprendre les autres caractéristiques qui peuvent donner plus de bénéfices à la performance. Ils sont cités ci-dessous comme recommandations pour bien poser les objectifs:

✓ **Concours de formation**

1. Processus: améliorer la forme, la technique et les stratégies
2. Performance: améliorer les performances en général
3. Résultat: comparaison gagnante et sociale

✓ **Mettre l'accent sur les objectifs de performance et de processus en tant que priorité plutôt que les objectifs de résultats.**

✓ **Poser des objectifs spécifiques, mesurables, plutôt que des objectifs généraux comme "fais de ton mieux".** Les objectifs vont de vagues ou intangibles à spécifiques (marquer 15 points dans un match de basketball ou courir à 10.8 au 100m). Avec les objectifs comme "faire de son mieux", les sportifs n'échoueront jamais car ils pourront se justifier en disant "j'ai fait de mon mieux". Exemples:

1. Courir les 1500m en 3.57
2. Empêcher mon vis-à-vis direct à moins de trois tirs ouverts
3. Marquer au moins cinq tirs à trois points sur sortie d'écran
4. Marquer 72 points lors du prochain match de championnat
5. Augmenter le temps de l'entraînement à la concentration de 5 à 6 mn
6. Reporter au moins 50% de mes pensées négatives aujourd'hui

✓ **Poser des objectifs modérément difficiles qui sont compétitifs mais réalistes:** les objectifs doivent être assez difficiles pour encourager le déploiement de gros effort et la persévérance mais assez facile pour atteindre des succès réalistes et minimiser le stress. Des objectifs trop difficiles pourront menacer le sentiment de compétence et la motivation de l'athlète.

✓ **Poser des objectifs positifs, pas négatifs, mais captivants:** les objectifs peuvent rechercher des comportements positifs qu'on cherche à améliorer ou des objectifs négatifs qu'on cherche à estomper. Les objectifs positifs sont plus efficaces spécialement pour les nouvelles ou difficiles habiletés. Ils aident les sportifs à mieux se concentrer sur l'exécution correcte. Ainsi, il est préférable d'amener les sportifs à poser des objectifs en des termes positifs (marquer 3 paniers sur 5) plutôt qu'en termes d'évitement (ne pas faire 0 sur 4).

✓ **Poser aussi bien des objectifs à long terme que des objectifs à court terme, ces derniers servent comme des briques pour atteindre les objectifs à long terme.** Si les objectifs à long terme donnent une certaine direction, les objectifs à court terme donnent une destination (Burton & Naylor, 2002). Si les premiers peuvent avoir une extension d'une à 4 ans ou plus, les seconds ne pourraient excéder plus de 6 mois.

✓ **Poser des objectifs individuels et des objectifs d'équipe (collectifs):** ces deux objectifs contribuent valablement au succès dans le sport. Les objectifs d'équipes améliorent la performance autant que les objectifs individuels (Locke & Latham, 1990). Les objectifs d'équipe donnent une direction pour une performance collective, qui ensuite est subdivisée en objectifs individuels pour améliorer la motivation et la confiance des sportifs.

✓ **Poser des objectifs aussi bien à l'entraînement qu'en compétition:** le tableau ci-dessous explique les priorités pour chaque dimension.

Tableau 1 : différences entre objectifs d'entrainement et de compétition

Dimensions	Objectifs d'entraînement	Objectifs de compétition
Objectif	Développement d'habileté	Performance optimale
Qualités mentales concernées	Concentration et motivation	Confiance en soi, gestion de stress
Types d'objectifs posés	Résultat, performance et processus	Processus et performance
Niveau de difficulté des objectifs	Pousser au-delà de la zone de confort	Garder des objectifs réalistes

Source: données d'enquêtes (2015)

Nous voyons ainsi que poser des objectifs à court-terme, réalistes, positifs mais motivant donne un sens de direction et améliore la motivation autant qu'il augmente l'effort et la persévérance. Les objectifs réalistes et captivants aident les sportifs à rentrer dans leur zone optimale d'activation et les dirigent vers la tâche. S'ils sont effectifs, ces objectifs peuvent diriger leur concentration vers l'essentiel pour arriver au succès. De même, lorsque ces objectifs sont constants et progressifs, cela peut élever la confiance en soi des sportifs.

4.2. Le Contrôle Émotionnel

La psychologie générale s'est beaucoup intéressée aux états tels que la monotonie, la peur, la colère, la haine, le manque d'envie, le stress, la fatigue, la saturation psychique l'anxiété. Certains psychologues ont essayé de les définir sans vraiment les interpréter :

> *"Les émotions sont une réaction ressentie dans le corps au contact de la réalité extérieure et pouvant aussi être suscitées par ce qui se passe en nous (pensées, imaginaire). C'est un système d'information sur notre psychique au même titre que les sensations le sont sur le plan physique. Elles nous informent sur notre état intérieur, sur l'effet des événements et de nos actions sur notre équilibre intérieur. Leur intensité nous indique à quel degré nous sommes touchés, qu'elle est l'importance de ce que nous vivons. Elles nous habitent constamment et nous permettent de s'adapter à chaque situation de notre vie, d'en retirer le plus de satisfaction possible et d'éviter les obstacles. Certaines sont agréables (joie), d'autres désagréables (peine, colère), mais elles sont toutes utiles à cause de l'importance du message qu'elles véhiculent. La colère nous informe de la présence d'un obstacle, la tristesse nous informe d'une perte ou d'un manque, la joie nous informe d'une satisfaction".* (CLAING, 2006)

Cette citation de CLAING (2006) montre que toutes nos réactions émotives sont là pour nous aider à nous adapter à chaque situation de la vie. C'est à ce titre que les sportifs sont confrontés à plusieurs états physiques et émotionnels avant, pendant et après la compétition. Ces états, de même que les états de fatigues sont ceux dont les athlètes sont directement confrontés dans la pratique. Ce sont des états psychologiques et physiques difficiles à gérer et se manifestent sur le plan émotionnel, physiologique et comportemental. Ici, nous allons plus nous intéresser à l'état émotionnel.

L'Émotion est une réaction affective de forte intensité qui implique une expérience subjective des manifestations somatiques et viscérales. L'émotion joue un rôle fondamental dans la performance, c'est un état complexe qui fait référence à la situation d'une personne sur le plan physique et psychique.

Cependant, ce phénomène dépend des qualités psychologiques de la personne concernée. C'est un vécu. Chaque état peut durer quelques secondes, des jours, des mois voire des années. Ainsi pour apprécier l'état général d'un athlète, l'entraîneur lui pose certaines questions:

- Comment as-tu ressenti les efforts?
- Quelles sont tes sensations physiques?
- Quelle est ton humeur?
- Qu'en est-il de la concentration?
- Quelle satisfaction as-tu de ton activité après l'effort?
- Qu'en est-il de ta récupération (régénération)?

Ces caractéristiques sont essentielles pour la définition de l'état des qualités athlétiques. Cependant, les états psychologiques se manifestent de manières subjectives.

4.2.1. Caractéristiques d'un bon état

LA PREMIÈRE CARACTÉRISTIQUE montre une capacité à la mobilisation. Il est favorable pour se mobiliser. Dans cet état, les valeurs objectives et subjectives se confondent car l'athlète qui se trouve à un haut niveau d'excitation arrive à se concentrer et se sent hautement motiver.

L'autre caractéristique est que cet état permet à l'athlète de se charger à la limite de ses capacités et arrive à régénérer rapidement (récupération). Cet état de mobilisation peut être joint à une régulation motrice. Dans a phase de compétition, la régulation peut ne pas être optimale, on doit activer la volonté pour déclencher la régulation optimale. L'état de régulation d'action optimale dépend de la charge psychophysique. Il est caractérisé par un vécu faible de l'effort alors que l'athlète dispose d'une capacité à la performance. Ces deux phénomènes s'excluent mais car c'est difficile de déployer un minimum d'effort avec une haute disposition à la performance. Comment reconnaître cet état de régulation motrice optimale?

✓ Objectivement, l'athlète dispose :

1. D'un bon sens temporel,

2. D'une bonne coordination,
3. D'une bonne technique dont il est capable d'exprimer.

✓ Subjectivement, l'athlète dispose :

1. D'une bonne image motrice
2. D'une concentration élevée
3. D'une perception intensifiée
4. D'une concentration élevée
5. D'une perception intensifiée relative au geste de compétition
6. D'une sensation d'un haut rendement physique (capacité à la performance)
7. D'une capacité de surpassement pendant la compétition
8. D'une confiance en soi

4.2.2. Quelques résultats d'analyses scientifiques

AUX DÉBUTS DE LA PSYCHOLOGIE du sport, c'est-à-dire vers 1920 (Williams, 2006), les pères de la psychologie du sport en Europe véhiculaient un concept qualitatif. Les chercheurs Puni, de l'Université de Leningrad et Rudik (1961), de l'Université de Moscou, se sont effectivement posés l'importante question de savoir: quelles sont les qualités qu'un athlète devrait il disposer pour avoir un bon état optimal? En 1961, Puni proposa cinq (5) qualités:

● La confiance en soi: il doit reposer sur l'évaluation réelle et objective de soi, bien estimer son niveau d'habileté et ses capacités physiques, techniques et ses compétences tactiques et stratégiques. L'entraîneur doit s'efforcer de développer l'objectivité au niveau de ses athlètes afin de se juger correctement.

● La persévérance: c'est l'assiduité dans la poursuite d'un but. Cela suppose que l'on dispose d'un but précis qui peut être fixé par l'entraîneur en accord avec le sportif ou ce dernier le fixe lui-même en accord avec l'entraîneur. Une fois défini, l'objectif doit être poursuit jusqu'au bout.

● Une grande résistance psychologique aux perturbations intérieures et extérieures. Cela nécessite une grande stabilité psychique car il y a des athlètes sensibles et très influençables.

● Un niveau d'excitation optimale qui par rapport à l'importance de la compétition ou au niveau de l'adversaire. Ceci influence la réalisation de la tâche motrice (ex: pas besoin d'un gros marteau pour tuer une fourmi).

● Une haute disposition à la psycho-régulation. Qui n'est rien d'autre que la capacité de gérer ses propres actions, ses émotions et ses réflexions. Cette disposition fait appel à un contrôle de l'attention et de l'émotion.

L'analyse repose ainsi sur ce concept et les travaux de Puni ont montré que plus le sportif maitrise cette cinquième qualité, plus il est capable de s'autoréguler car plus malléable. Ainsi, la réalisation aisée ou difficile d'une tâche est un indice pour évaluer l'état d'un sportif. A ce titre, il a énuméré neuf (9) états réguliers liés au rendement et au vécu de l'effort:

● Un rendement élevé avec un vécu élevé (grand effort)
● Un rendement élevé avec un vécu moyen
● Un rendement élevé avec un faible
● Un rendement moyen avec un vécu élevé
● Un rendement moyen avec un vécu moyen
● Un rendement moyen avec un vécu faible
● Un rendement faible avec un vécu élevé
● Un rendement faible avec un vécu moyen
● Un rendement faible avec un vécu faible

Dans les années 1990, des enquêtes ont été réalisées sur des sportifs ayant terminé leurs carrières. Ces études portaient sur l'état émotionnel et ont permis de savoir que durant sa carrière, le sportif traverse trois étapes:

● Jusqu'à 12 ans, l'enfant est certes excité mais n'a pas un état d'avant compétition élevé. Il vit le début de la compétition sans souci du fait de l' "inconscience".

● Jusqu'à 18 ans, lorsque le sportif s'approche du haut niveau (catégorie espoir), il ressent un état d'avant compétition (avant match) jusque-là inconnu car il ressent des processus psychologiques qu'il n'arrive pas à gérer.

● Au-delà de cette catégorie, c'est l'étape de la connaissance et de l'expérience. Le sportif est normalement capable de s'autogérer.

En dehors de ces trouvailles qui concernent l'état d'avant compétition pour la carrière du sportif, d'autres résultats y découlent. Ainsi, Puni définissait les caractéristiques d'un état optimal :

a. Sept jours avant la compétition, on note une légère excitation avec la sensation d'être bien préparé physiquement. Cette sensation est liée à une sureté de soi.

b. Après l'échauffement spécifique, un état d'avant match optimal est atteint et est caractérisé par une certaine stabilité psychique. Il est résistant à toute perturbation. Il réalise ses actions calmement et est capable de se libérer de son entraîneur (surtout pour les sports individuels).

c. Le sportif atteint un point culminant avant le coup de sifflet de démarrage (monter sur le tatami pour les combattants par exemple). Certains ont l'air calme ou indifférent, d'autres bougent beaucoup ou cherchent le contact. Juste avant le match ou le départ pour les courses, on se pose des questions du genre "pourquoi je fais ça ?". Mais dès l'appel du juge, il se sent déterminé.

4.3. L'État de Stress

La notion de stress ne jouait aucun rôle dans le sport dans les années 1950. Le stress a été introduit dans le sport par un savant canadien SELYE (Selye, 1972). Avant les années 50, le stress a été employé dans le domaine industriel et expliquait la consistance ou la solidité de certains métaux du fait de leur stabilité. Le stress a ensuite été révélé chez les êtres humains sous le nom de tension. Le mot stress provient de l'anglais et signifie charge, pression, tension. Le stress est une charge psychique permanente, une pression constante et stabilisée. En réalité, le stress est le conflit entre les exigences des taches à réalisées (externe) et les possibilités de traitement ou de réalisation de ces taches (interne). C'est un conflit entre le prévu et le réel. Si le décalage entre le prévu et le réel est grand cela entraine une surcharge psychique d'où le stress. Ainsi, lorsque le sportif est confronté à des conditions difficiles et changeantes, on parle de surcharge neuronale.

4.3.1. Les origines du stress

PLUSIEURS ORIGINES sont citées par les différents chercheurs dans le domaine de la psychologie du sport. Cependant, les plus importants seront mentionnés ci-dessous:

- La pression permanente de réaliser la meilleure performance

- L'insatisfaction sociale :lorsque l'entraîneur ou le joueur est rémunéré de façon insuffisante

- Une trop grande attente par rapport à la performance : les dirigeants, la famille, les supporters, les amis et le sportif cherchent une meilleure performance (gagner) alors que les conditions ne sont pas réunies

- Rapport interindividuel difficile : conflit entre coach et sportif

- Conditions matérielles difficiles

- Surcharge ou sous charge permanente

- Risque de limogeage

- Menace physique en cas d'échec

● Isolation/séparation : coach/sportif marié toujours absent de la maison

● Perturbation biologique

Figure 2 : réponses aux exigences si absence de la charge psychique

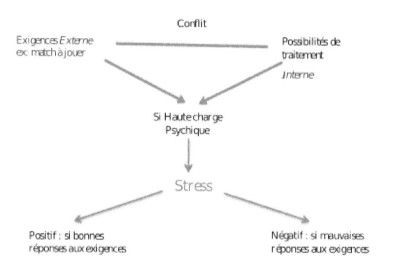

Source: Cours de Psy, Uni Leipzig (2003)

Sur le plan émotif	Sur le plan physiologique	Sur le plan comportemental
La peur	La Dépression	La fuite (Marie Joe Perec
La colère/rage	L'Insomnie	aux JO de Sydney)
La haine	La Neurasthénie (surmenage)	L'abandon
Le manque d'envie	La Perturbation fonctionnelle	Le combat du stress par la
La démotivation	(ulcère, palpitations cardiaque	violence
L'amotivation	L'anorexie	

4.3.2. Manifestations du Stress

Tableau 2 : manifestation psychosomatique du stress

SOURCE: COURS DE PSYCHOLOGIE du Sport, Université de Leipzig (2003)

Tableau 3 : représentation des symptômes communs du stress

Source: Tenenbaum et Eklund (2007)

Physiologique	Psychologique	Comportementa
Augmentation de la fréquence cardiaque	Inquiétude	Parle vite
Augmentation de la pression sanguine	Se sent surchargé	Mord ses ongles
Augmentation de la sueur	Incapacité à penser clairement	Tape des pieds ou des doigts
Augmentation de l'activité cérébrale	Difficulté à prendre des décision	Crispation des muscles
Augmentation de la dilatation des pupilles	Se sent confus	Rythme ralenti
Elévation de la respiration	Être facilement distrait	Air renfrogné
Elévation de la tension musculaire	Ne se sent pas en contrôle	Tremblement
Baisse de la distribution sanguine ver la peau	Incapacité de se concentrer	Bâillement
Hyperglycémie	Attention réduite	Pauvre contact des yeux
Urine fréquente	Augmente la négativité	Discours rapide
Goulot d'étranglement	Doute de soi	
Augmentation de l'adrénaline	Indécision	
Absorbation augmentée d'oxygène	Se sentir étrange ou différent	Clignotement fréquent des yeu

• • • •

4.3.3. Quelques solutions de traitement

IL FAUT CHERCHER UNE confrontation rationnelle avec les exigences ; le sportif doit connaître l'origine du problème, c'est à dire le "stressor" en vue d'en apporter une réponse adéquate. Il doit également élargir le champ de la prise de décision. Ne pas s'isoler et parler du problème pour chercher la solution.

Faire un entraînement idéomoteur de détente par des mouvements harmonieux intégraux lents en utilisant des techniques de récupération. On recommande également la marche deux fois par semaine pendant 45 minutes de façon relâchée. L'entraînement idéomoteur est une méthode utilisée par les Russes et vise la régulation du déroulement moteur, c'est à dire la maitrise et la régulation technique. C'est une méthode de l'auto-influence et de l'autosuggestion. Il repose sur l'effet Carpenter, c'est à dire par une imagination intensive du déroulement moteur, on arrive à créer une activité électromagnétique. Ces activités magnétiques créés par l'imagination peuvent être contrôlées.

• Maitrise de l'autosuggestion: les sportifs doivent être capables de s'influencer eux-mêmes, si possible, à l'aide de méthodes extrinsèques. Exemple: la musique relâchant ainsi que les images calmantes et émotionnelles. La méthode extrinsèque consiste à utiliser des influences extérieures pour renforcer notre auto-influence.

• L'entraînement idéomoteur est valable pour l'entraînement technique moyen ou élevé. Dans les sports techniques, sont utilisation est indispensable. En effet, dans les sports de combats comme le Karaté ou le taekwondo qui nécessite beaucoup d'imitation et de répétition, on a souvent recours à l'imagerie mentale.

• Dans son application, l'entraînement idéomoteur doit être élaboré entre l'entraîneur et le sportif en s'appuyant sur les expériences de ce dernier. Les informations doivent être données au sportif sous forme de métaphores (ex: tu dois exploser comme une fusée, tu dois voler comme un oiseau, etc.). Ces métaphores sont très favorables pour les enfants et les jeunes si elles sont positives.

• Dans sa réalisation, on doit toujours intérioriser le mouvement de façon endogène, c'est à dire, le sportif se voit lui-même en train de faire. Pour cette raison, il est toujours favorable que le sportif se voit en vidéo ou en photo pour s'orienter. L'aspect exogène est moins important.

Réévaluation de la situation: exemple: lors d'un match de basketball, on remarque que le parquet est glissant et un mauvais éclairage, etc....l'athlète se sent tout de suite stressé car il vit la situation négativement. Il faut réévaluer la situation en se disant que l'équipe adverse est également dans la même situation.

Utiliser l'auto-confrontation: le sportif doit intensifier, développer des attitudes positives envers les exigences. Exemple: sur une course de 800m, l'auto-confrontation consiste à rester meilleur jusqu'au bout.

Les émotions sont comme les voyants lumineux du tableau de bord d'une voiture qui signalent quand quelque chose ne va pas. Les manifestations émotionnelles sont nombreuses et peuvent signifier l'expression d'une émotion positive donc d'un besoin satisfait (joie, bonheur, contentement, tendresse) ou l'expression d'une émotion négative donc d'un besoin insatisfait (colère, rage, haine, agressivité).

Sur le plan sportif, elles permettent aux sportifs d'être plus vivants, de vivre avec leurs partenaires, et d'évoluer. Elles donnent l'occasion aux sportifs et aux entraineurs d'identifier les besoins afin de mieux les satisfaire. A ce titre le stress est l'une des émotions les plus communes aux sportifs qui se battent constamment pour apporter une réponse positive à ce conflit afin d'apporter un équilibre entre les exigences sportives et leurs possibilités de traitement (capacité à surmonter les défis).

4.4. L'automaticité *(le flux)*

TOUS LES PSYCHOLOGUES du sport s'accordent à définir l'automaticité comme le moment ou le joueur de basketball (ou un autre sportif) réussit tous les tirs qu'il tente et se sent comme incoercible. C'est une sensation de rêve que n'importe quel basketteur, quel que soit son niveau, a ressenti avec plus ou moins d'intensité et plus ou moins fréquemment et dont la seule constance est l'absence totale de contrôle de cet état de grâce. Tous les sportifs professionnels cherchent à atteindre cet état le plus souvent possible. Ce qui n'arrive pas tout le temps.

"Lorsque la condition physique est optimale et l'esprit parfaitement focalisé sur la tâche à effectuer, voire inconscient de ce qu'il fait, on peut accomplir des choses extraordinaires". (Cox, 2013).

En effet, Wikipédia défini l'automaticité, donc la zone ou "Flux" selon les anglophones, comme

"l'état mental de fonctionnement dans lequel une personne exerçant une activité est entièrement immergée dans celle-ci dans un état maximal de

concentration, une pleine participation, et connaissant le succès dans le processus de l'activité".

Une définition qui découle de celle appartenant au plus connu et approuvé des théoriciens de ce phénomène, le psychologue hongrois (Csiksentmihalyi, 2008) dans son ouvrage Flux[24]: *The Psychology of Optimal Experience*. Sur espn.go.com, Kobe Bryant explique:

> *"J'ai ressenti une sensation étrange vers la fin du match. Tout le monde te regardait. C'est comme si personne d'autre ne pouvait tirer. C'est comme si quelqu'un essayait de tirer, il se fera huer par le public. C'est vraiment une sensation étrange de se trouver dans ce lieu quand cela arrive. Je ne me rappelle pas la dernière fois j'ai vu le stadium si électrifié, sentant qu'ils sont en train de vivre un évènement historique. C'est bizarre. En tant que joueur, tu entends et tu sens l'énergie et tu n'as qu'à survoler la vague sans vraiment sortir de soi-même tout en appréciant le moment, parce que tu ne veux pas perdre ton rythme."*

De même, Olivier (2011), explique que ce Flux est expérimenté lorsque *"le sujet est absorbé dans son activité"*. Csiksentmihalyi, parle de *"motivation intrinsèque"*, état caractérisé par *"un sentiment de grande absorption, d'engagement, de domination et de talent au cours duquel les préoccupations temporelles sont totalement ignorées"* (Csiksentmihalyi, 2008). Si on continue de se fier aux paroles du psychologue, il faut savoir que "lorsque *vous êtes dans la zone, l'égo disparaît. Le temps passe vite. Chaque action, chaque mouvement et même chaque pensée découle naturellement et inévitablement de la précédente; tout votre être est impliqué et vous utilisez vos compétences à l'extrême"*. Une harmonie extrême entre la pensée et les gestes où le sujet réussit tout ce qu'il tente. Ainsi, la théorie de la Zone (automaticité) stipule que cet état si particulier posséderait certaines spécificités dont les neufs (9) principales caractéristiques sont les suivantes:

- Un objectif clair

- Un haut degré de concentration

- Une absence de conscience de soi

- Une perception altérée du temps

- Une rétroaction visible et immédiate (les réussites ou échecs sont visibles de telle sorte que le comportement puisse être ajusté)

- Un équilibre entre le niveau d'aptitude et de défi (l'activité n'est ni trop facile ni trop difficile)

- Une sensation de contrôle sur l'activité

- L'impression que l'action est enrichissante

- Un manque de connaissance des besoins du corps (on peut ainsi atteindre un état de grande fatigue ou de faim sans s'en rendre compte)

Dans *Physical Genius*,
"la Zone n'est pas due à la chance, mais à d'incroyables capacités physiques et mentales innées, et à une imagination hors pair qui permet au champion de n'être surpris en aucune situation" (Gladwell, 1999).

Ce qui amène certains psychologues à faire part de leur désaccord quant à cette théorie réductrice puis qu'elle limite finalement la Zone au hasard. En réalité, l'automaticité exige du basketteur une capacité physique hors pair pour arriver à un certain seuil de performance. Comment Gladwell compare-t-il les cas de Michael Jordan et de Karl Malon? Voici ces termes:

His Airness et The Mailman possédaient, au départ, les mêmes capacités et la même conscience professionnelle. Au détail près que Malone n'avait de loin pas l'imagination de Jordan : lors du Game 6 des finales 1998, sur cette fameuse possession poste bas face à Rodman, Malone n'a pas vu le N°23 venir intercepter la balle par derrière pour sceller ensuite le sort des finales. Pour Gladwell, il s'agit ici du moment où toute l'imagination de Jordan s'exprime et fait la différence avec la plupart de ses pairs. La preuve que pour être dans la zone, il faut être

> *un " Physical Genius " : s'améliorer physiquement et mentalement pour pouvoir être dans la zone est ridicule car dévalue l'immense préparation nécessaire pour devenir cet athlète hors-pair. (Olivier, 2011).*

Il nous arrive souvent, en regardant les matchs de basketball, d'observer cet état de Flux. Dans la saison de basketball de la fameuse franchise qui est la NBA, le phénomène Stephen Curry a eu a expérimenté plusieurs fois la zone et dis-lui même qu'il est dans la Zone. Cette phrase est reprise par plusieurs auteurs et même par les puissants médias comme Youtube (Mixes, 2015). Mais avant lui, d'autres joueurs de la NBA ont déjà expérimenté cette fameuse Zone. En effet, après ses 81 points marqués contre les Raptors le 22 Janvier 2006, Kobe Bryant déclara :

> *"J'étais dans mon monde. Rien ne pouvait atteindre ma confiance. Il n'y avait pas de question à se poser: le ballon rentrait. Tout était en slow motion, je ne pouvais pas me manquer. Quand ça arrive, il ne faut pas y penser, surtout pas. Sinon l'état de grâce peut s'envoler en un instant. Tous les bruits ne font plus qu'un, on fait abstraction de tout. Le truc c'est ça. Continuer dans la même voie et ne rien laisser perturber ton rythme. Tout l'environnement: le public, l'équipe, passait au second plan. Quand t'es dans cet état-là, les autres ne peuvent plus faire grand-chose, si ce n'est te contenir dans cet état, te nourrir pour te donner encore faim"*

La Zone est à la fois floue est claire (Olivier, 2011). Serait-il le lieu de la confiance absolue? Du talent à l'état pur? L'auteur développe son argumentaire en expliquant que les psychologues se contredisent sur le sujet, et les études consistant à recueillir le ressenti des sportifs après une performance hors du commun pour encadrer plus concrètement cet état optimal se multiplient. L'enjeu est à la fois de définir les caractéristiques de l'état, et les moyens d'y parvenir. Les moyens d'entrer et de rester dans le Flux ne sont pas automatiques. Si c'était le cas, le sport serait encore plus exaltant qu'il ne l'a jamais été. Cependant, il conclut que toutes les analyses d'hier et d'aujourd'hui, aussi intéressantes et argumentées soient-elles, restent toutes relativement subjectives et très différentes les unes des autres.

4.4.1. Les dimensions du Flux

CSIKSZENTMIHALYI (2000) ainsi que Voelkl et Ellis (2002) ont présenté un nouveau modèle de compréhension du Flux en identifiant plusieurs éléments associés qu'ils ont classé en deux catégories :

- Les conditions d'apparition du Flux
- Les caractéristiques du facteur Flux

Les conditions sont les circonstances qui sont supposées conduire au Flux (par exemple : équilibre compétences/défi; clarté des buts et feedback instantanés). Les caractéristiques font référence aux effets et notamment aux perceptions liées à la nature empirique du phénomène lui-même (c'est-à-dire à ce que l'individu ressent lorsqu'il est en état de Flux, par exemple concentration sur l'action en cours, sens du contrôle, perte de conscience de soi).

Selon Demontrond & Gaudreau (2008), cette distinction est tout aussi importante pour la recherche car elle permet de différencier l'expérience subjective de Flux et les antécédents psychosociaux pouvant faciliter son apparition chez les individus. Ainsi, en étudiant ces conditions et caractéristiques, Ellis (2003), (cité par Demontrond & Gaudreau, 2008) montre que l'équilibre entre les compétences personnelles et le défi à relever est sans doute une condition moins importante pour atteindre le Flux que ne le sont d'autres éléments (p. ex. clarté des buts, feedback clairs).

Heutte & Fenouillet (2010) retiennent qu'il y aurait 4 dimensions du Flux:

✓ Flux D1:

1. Sentiment de maîtrise/contrôle de l'activité
2. Absorption cognitive
3. On sait que l'activité est faisable, que les compétences sont en adéquation, il n'y a ni anxiété ni ennui (Csikszentmihalyi, 2004)

✓ Flux D2:

1. Perception altérée du temps
2. Hors de temps

3. Concentration totale sur le présent, on ne voit pas le temps passer (Csikszentmihalyi, 2004)

✓ Flux D3 :

1. Absence de préoccupation à propos du soi
2. Dilation de l'ego
3. Perte de la conscience de soi
4. Sentiment de sérénité
5. Pas de préoccupations à propos de soi-même, impression de sortir au-delà des limites de l'ego
6. Après coup, sentiment d'avoir transcendé l'ego à tel point qu'on ne croyait pas cela possible (Csikszentmihalyi, 2004)

✓ Flux D4 :

1. Sentiment de bien-être
2. Activité autotélique
3. Motivation intrinsèque
4. Ce qui produit le " Flux " devient une récompense en soi
5. Sentiment d'extase
6. Impression d'être en dehors de la réalité quotidienne (Csikszentmihalyi, 2004

4.4.2. Le cerveau en état de Flux

LES DONNÉES RÉCEMMENT acquises sur les réseaux attentionnels renseignent sur l'activité d'un cerveau en état de Flux, notamment celles s'intéressant à la notion surprenante d'attention *"sans effort"*.

Les perturbateurs de l'attention sont évalués par plusieurs systèmes cérébraux qui déterminent à chaque instant l'intérêt et l'importance de ce qui stimule les sens ou les pensées. Des structures telles que l'amygdale et l'hippocampe traitent ces caractéristiques de façon " rigide ", en fonction du passé : ce que l'on a l'habitude de trouver intéressant (lire un magazine, surfer sur Internet) ou désagréable, voire dangereux, et donc important (un visage ayant l'air menaçant). D'autres aires, situées surtout dans le cortex préfrontal, utilisent des critères plus flexibles dépendant des buts que l'on se fixe pour l'avenir, proche ou lointain. Chaque système fixe en quelque sorte ses priorités, qui se contredisent souvent dans une lutte incessante pour le contrôle de l'attention ; cette lutte d'influence aboutit à ce que les psychologues nomment des " *conflits motivationnels* ", c'est-à-dire des situations où le cerveau cherche à accomplir en même temps plusieurs objectifs contradictoires.

Sur le plan mental, on dit que deux processus cognitifs sont antagonistes lorsqu'ils mobilisent les mêmes régions cérébrales, en particulier le même réseau de l'attention. C'est pourquoi on ne peut pas réaliser (exactement) en même temps deux activités qui demandent d'être attentif. En conséquence, il n'est pas étonnant que l'état de Flux, en tant qu'état d'attention sans effort, ni conflit, ni stress, soit si recherché et valorisé.

4.4.3. L'évaluation du Flux

PLUSIEURS OUTILS D'AUTO-description ont été créés afin d'étudier les éléments de nature instable et les phénomènes subjectifs liés au Flux, tels que les entretiens qualitatifs, les questionnaires et la méthode d'échantillonnage des expériences (Experience Sampling Method - ESM) (Csikszentmihalyi & Larson, 1984;). Un grand nombre de chercheurs ont utilisé l'ESM. Cette méthode consiste à répondre à un court questionnaire lorsque la sonnerie d'un téléavertisseur retentit. Malgré tout son intérêt, cette méthode est à la longue relativement contraignante pour les sujets : le caractère intrusif et le temps nécessaire à l'usage de l'ESM présentent l'inconvénient majeur de risquer d'interrompre le Flux. C'est la raison pour laquelle l'élaboration d'échelles de mesure du Flux reste une question d'une vive actualité (Jackson & Eklund, 2002 ; Novak, Hoffman, & Yung, 2000).

En Europe, c'est principalement Rheinberg (1987, 1996), puis Rheinberg et Vollmeyer (2001) qui étudient plus particulièrement les relations entre Flux et motivation, notamment via la conception d'une échelle courte de Flux en langue allemande (Flux-Kurzskala : FKS, Rheinberg et Vollmeyer, 2001). Vollmeyer et Rheinberg (2006) estiment que FKS est une échelle de mesure du Flux adaptable à de nombreux contextes.

En France, à la suite des travaux de Jackson et Eklund (2002), une version française du FSS-2 a été validée (Demontrond-Behr, Gaudreau, Visioli, &

Fournier, 2003 ; Fournier et *al.*, 2007). Déro et Heutte (2008) ont élaboré une échelle en 13 points pour mesurer le Flux au travail (adaptée à l'usage des TIC).

Constatant qu'il n'existait pas de version française de l'échelle courte de Flux (FKS, Rheinberg & all., 2003) et que d'autre part, une analyse comparative mettait en évidence le déséquilibre de l'ensemble des échelles (et tout particulièrement les échelles " courtes ") car elles ne prenaient pas vraiment en compte toutes les dimensions du Flux (elles mesurent surtout l'absorption cognitive), Heutte & Fenouillet (2010) construisent l'échelle Flux4D16 par l'agrégation de quatre sous échelles

◈ Flux D1: l'absorption cognitive;
◈ Flux D2: la perception altérée du temps;
◈ Flux D3: la dilation de l'ego;
◈ Flux D4: le bien-être.

4.5. Les Pensées Positives

LA PENSÉE POSITIVE est un concept qui est né au milieu du 19ème siècle. Vincent Norman Peale, pasteur et auteur américain, est l'un des premiers auteurs à s'intéresser à cette notion avec la parution en 1952 de l'ouvrage *"Puissance de la pensée positive"*. Elle est étroitement liée à la notion d'optimisme, une personne qui perçoit le monde de manière positive et qui voit le " bon côté des choses " se sentira en meilleure santé mentale et physique qu'une personne qui pense négativement, anxieuse, voire déprimée.

La pensée positive n'est pas un concept nouveau, la méthode Coué (Coué, 2013), mise au point par le pharmacien et psychologue Français Émile Coué, a été présentée pour la toute première fois en 1926 dans l'ouvrage *"La maîtrise de soi-même par l'autosuggestion conscient"*. C'est une méthode thérapeutique fondée sur l'autosuggestion et qui a pour objectif de faire adhérer le patient aux idées positives. En répétant une vingtaine de fois par jour des messages positifs du type *" je suis heureux "* ou *" je vais de mieux en mieux "*, l'individu est censé accéder au bien-être et atteindre une santé optimale.

4.5.1. Rôle des pensées positives

LES RECHERCHES ONT montré que la pensée positive est bien plus que d'être simplement heureux ou afficher une attitude optimiste. Les pensées positives peuvent réellement créer de la valeur réelle et aider à la construction des compétences qui durent beaucoup plus longtemps. L'impact de la pensée positive sur le travail, la santé et la vie a été l'objet d'un intérêt tous les jours grandissant de la part de nombreux scientifiques quel que soit le domaine, mais plus particulièrement dans le domaine de la santé et du sport. Barbara Fredrickson, chercheur en psychologie positive à l'Université de Caroline du Nord a publié un document historique (Fredickson, 2001) qui fournit des aperçus surprenants au sujet de la pensée positive et son impact sur vos compétences. Son travail est parmi les plus référencées et cité dans son domaine et il est étonnamment utile dans la vie de tous les jours. En se basant sur des émotions agréables, la pensée positive permettrait d'atteindre un meilleur bien-être général, elle rendrait également plus performant et augmenterait les chances de réussite dans la vie professionnelle et personnelle. En d'autres mots, il s'agit de rester optimiste en toutes circonstances.

A contrario, une personne dont les pensées sont souvent négatives se décourage vite et atteint difficilement les objectifs qu'elle s'est fixée. La pensée négative freinerait la réussite et favoriserait les états dépressifs. La pensée positive n'est pas un concept inné, il est nécessaire d'effectuer un travail sur soi-même pour réussir à l'assimiler. Tout d'abord, il faut apprendre à créer des pensées et des émotions positives : par exemple, face à une situation difficile, il faut se dire "*je vais atteindre mes objectifs*", "*je peux le faire facilement*" ou "*je crois en mes capacités*."

Les phrases construites dans une forme positive et formulées au présent de l'indicatif doivent être préférées aux phrases à connotation négative et formulées au futur simple " je réussis petit à petit à diminuer la cigarette "plutôt que" "*je ne fumerais plus*". Il s'agit ensuite de répéter régulièrement ces pensées positives afin de les intégrer, petit à petit, au subconscient. Dans le domaine du sport, la pensée positive est généralement liée à l'attention et aussi au discours interne. En effet, les psychologues du sport ont beaucoup écrit sur l'apprentissage du contrôle de l'attention (Ndieffer, 1995). L'apprentissage du contrôle de l'attention consiste non seulement en la gestion de l'éveil mais également en la suppression des pensées négatives.

Quant au discours interne, c'est une stratégie attentionnelle destinée à faire en sorte que le sportif se concentre sur des pensées et des comportements positifs. Il est primordial que le basketteur apprenne à se servir de son attention pour éliminer les pensées négatives et à penser de manière positive (Cox, 2013). C'est un problème que rencontrent régulièrement les sportifs. Il est important pour l'athlète d'aborder chaque situation avec une attitude positive et en étant persuadé qu'il va réussir. Lorsque les pensées négatives font leur apparition, il faut les éliminer ou les remplacer par des pensées positives.

4.5.2. Méthodes pour enlever les idées négatives

UNE DES TECHNIQUES du processus du remplacement des pensées négatives par les pensées positives est l'arrêt des pensées (Zinsser, Bunker, & William, 2001). Il s'agit d'un principe élémentaire en psychologie selon lequel un athlète ne peut fixer son attention de manière correcte sur plus d'une tâche demandant des efforts d'attention à la fois. Dans ce cas (Cox, 2013), ce travail mental consiste à avoir une pensée positive et non négative en tête. Une fois la pensée négative substituée, l'athlète peut centrer son attention sur lui. Le processus de centration consiste à orienter ses pensées vers l'intérieur de son être. Au cours de ce processus, l'athlète procède à des ajustements conscients de l'attention et de l'éveil. Selon Nideffer et Sagal (2001) dans (Cox, 2013), il s'agit d'avoir conscience de son centre de gravité tout en internalisant ses pensées. Tout de suite après la fin du processus de centration, l'athlète fixe son attention sur un indice externe lié à la tâche à accomplir. C'est alors qu'il peut exécuter la tâche en question. Tout retard entre l'externalisation de l'attention et l'exécution du geste est source de distraction, sous forme de pensées négatives ou de stimuli indésirables liés à l'environnement.

Cox (2013) proposa l'exemple suivant:

Dans un match de basketball, il reste une seconde à jouer et vous vous apprêtez à tirer le lancer franc décisif synonyme de victoire pour votre équipe si vous le réussissez. Une pensée vous vient à l'esprit: *"Je sens que je le rater. Le cercle est vraiment petit, très loin et je suis mort de trouille!".*

Cela traduit une perte de contrôle de soi. Pour appliquer avec succès la procédure d'arrêt des pensées et de centration de l'attention, vous devez d'abord utiliser le principe de l'attention sélective afin de chasser la pensée négative et de la remplacer par une pensée positive. Vous pouvez vous dire:

"Je suis très adroit au lancer franc, le meilleur joueur de l'équipe dans cet exercice." Vous centrez ainsi votre attention de façon interne en procédant à de petits ajustements de votre niveau d'éveil. Pour ce faire, nombreux sont les joueurs à prendre une profonde inspiration puis à expirer lentement. *Ensuite, vous fixez votre attention sur le cercle et vous vous concentrez sur un détail lié au geste technique à accomplir:*

"Accompagne bien et met un petit effet rétro sur au ballon. " si vous vous entrainez à employer correctement et dans diverses situations cette procédure d'arrêt des pensées et de centration de l'attention, vous disposerez d'une arme à effet immédiat permettant de réduire une perte de contrôle de l'attention".

D'autres méthodes peuvent être utilisées pour balayer les idées négatives et imposer les idées positives. En effet, la spirale négative est une méthode très souvent employée par les sportifs qui, après avoir énuméré tous les problèmes rencontrés ou susceptibles d'arriver pendant la compétition disent STOP, puis utilisent le discours interne afin de revaloriser la situation. La pensée positive aide à créer une fluidité des idées en boostant la confiance en soi, en maintenant une attitude positive, en promouvant la concentration dans des moments cruciaux, améliorant la motivation pour aller au-delà des limites, créant un niveau optimal de la dureté mentale face à l'échec ou l'adversité. La pensée positive ne doit pas être confondue avec la psychologie positive. Cette dernière tire ses origines d'une série d'ouvrages rédigés par des non-spécialistes tandis que la psychologie positive est fondée sur l'étude scientifique empirique et reproductible (Passportsanté, 2014). Bien que la psychologie positive reconnaisse certains bienfaits de la pensée positive (meilleur moral, amélioration des performances, facteur de réussite), elle prend également en compte dans ses recherches les effets de la pensée négative et des troubles psychiques (dépression, anxiété, traumatisme) sur la santé et le comportement humain.

4.6. Imagerie Mentale

" Ce n'est pas la volonté qui nous fait agir, mais l'imagination " *(Coué, 2013)*

LA MAJORITÉ DES ATHLÈTES utilisent l'imagerie mentale à l'entraînement comme en compétition. L'imagerie mentale, la répétition mentale et la visualisation sont souvent confondues dans la littérature non spécialisée. Si la visualisation est centrée sur soi, l'imagerie va au-delà. Aujourd'hui, beaucoup de sportifs reconnaissent la force de l'imagerie. En tenant compte de beaucoup de disciplines sportives, les sportifs attribuent une part importante de leur succès à l'utilisation de l'imagerie. La nageuse Amy Van Dyken, vainqueur de plusieurs médailles Olympiques, voit l'imagerie (Burton & Raedeke, 2008) comme la clé de son succès. Elle n'a fait aucune compétition jusqu'à l'âge de 14 ans, mais elle croit que son habileté à utiliser l'imagerie a compensé son manque d'expérience en compétition.

De même, le légendaire entraîneur de basketball des Chicago Bulls, Phil Jackson, utilise également l'imagerie mentale. Il croit fermement que l'une de ses forces dans la préparation des matchs est sa capacité à se représenter mentalement les défenses pour défaire les schémas offensifs de ses adversaires.

L'imagerie mentale est l'activité qui consiste pour un individu à se représenter mentalement un geste sans produire d'activité musculaire en lien avec l'exécution de ce mouvement. L'imagerie mentale peut-être de nature différente, visuelle, auditive, kinesthésique, tactile, olfactive, gustative. Cette dernière est combinée, dans l'optique de maitrise d'un geste technique ou d'un schéma ou d'une combinaison tactique, à une répétition mentale qui est considérée comme la technique qui permet d'utiliser l'imagerie pour améliorer la performance motrice. Une autre technique est également utilisée parallèlement à l'imagerie qui est appelée la visualisation: c'est le fait d'utiliser une image visuelle pour répéter un mouvement.

4.6.1. Hypothèses explicatives

PLUSIEURS HYPOTHÈSES sont considérées pour expliquer l'imagerie mentale. On note d'abord l'hypothèse neuromusculaire (Hale, 1982) qui montre la présence de potentiels d'action subliminaux (minimes) (EMG) dans les muscles impliqués dans le mouvement imaginé. Certaines personnes s'imaginant faire une activité musculaire se voient augmenter les potentiels d'actions. C'est l'idéal pour la rééducation ou pour des membres immobilisés après une blessure.

Il y a également l'hypothèse de la concentration (Feltz & Landers, 1983) qui consiste à porter l'attention exclusivement sur les éléments pertinents de la tâche à réaliser. Ce qui suppose une capacité sélective de la mémoire à court terme. Enfin, on peut noter l'hypothèse cognitive qui correspond à la programmation et planification de l'action. Il s'agit de montrer que le mécanisme ne se passait pas au niveau périphérique (muscles) mais plutôt au du cerveau (cortex). Ainsi, la cognition est la fonction qui permet d'apprendre, facilite l'apprentissage en structurant les paramètres du mouvement c'est à dire l'amplitude du mouvement, la direction, la vitesse.

L'imagerie signifie l'utilisation des sens pour créer ou recréer une expérience dans son propre esprit. Il n'y a aucune différence entre se représenter une technique sportive et utiliser la technique réellement sauf que cela se passe dans la tête du sportif. Même s'ils ne ressentent pas les sensations musculaires ou le touché de la balle, ils le ressentent dans leurs esprits. L'imagerie est en réalité un produit de notre système de mémoire. Notre cerveau se rappelle et reconstruit des morceaux d'information enregistrés dans notre mémoire pour construire une image significative.

A ce titre, les sportifs peuvent se rappeler leurs expériences précédentes dans les plus petits détails: un joueur de basketball peut regarder une vidéo d'une équipe adverse et s'imaginer comment il pourrait défendre sur un joueur. L'imagerie va ainsi au-delà de la visualisation qui signifie se photographier, se voir. L'imagerie peut invoquer les sens : le toucher, l'odorat, le gout, les mouvements des muscles en action. Elle peut inclure les émotions associées aux expériences qui sont en train d'être vécues mentalement.

Cependant, les champions et les sportifs de haut niveau (Cumming & Hall, 2002) sont plus favorables que les sportifs moins accomplis à utiliser l'imagerie. En réalité, des études (Orlick & Partington, 1988) ont démontré que 90% des sportifs olympiques américains et canadiens utilisent l'imagerie. L'imagerie marche car l'esprit ne distingue pas une image de la réalité. Un joueur de basketball peut créer une image motrice du tir avec toutes les sensations qui vont avec : la position du corps, le séquençage et timing des pieds utilisés pour le tir (position du bras tireur par rapport au bras non tireur au départ du saut). Le développement d'une image motrice forte crée une automaticité de l'habileté, ce qui fait que le sportif pourrait exécuter son geste sans penser à la technique.

4.6.2. Les facteurs qui influencent l'efficacité de l'imagerie

4.6.2.1. Habileté d'imagerie

LES SPORTIFS QUI SONT capables de créer des images précises et proches de la réalité gagnent plus de cette technique que ceux qui produisent des images vagues. Les sportifs avec une grande disposition à l'imagerie (Isaac, 1992) sont capables de créer des images vivantes et contrôlées, avec tous les détails. Ils ont cependant besoin de manipuler les contenus de leur imagerie pour créer des images qui font ce qu'ils leurs demandent de faire. Sans un contrôle de l'imagerie, les sportifs avec une faible confiance en soi pourraient se retrouver à faire des erreurs dans leur propre imagerie. Un joueur de basketball qui manque de confiance pourrait s'imaginer entrain de rater des lancers francs à un moment critique d'une rencontre. Ce genre d'imagerie est contre-productif et peut amoindrir la performance.

4.6.2.2. Le niveau technique du sportif

LES SPORTIFS, QU'ILS soient experts ou novices, peuvent tirer profit de l'utilisation de l'imagerie. Cependant, les sportifs expérimentés qui peuvent tirer sur leurs expériences personnelles pour créer une image vivante et proche de la réalité en bénéficient plus. C'est plus difficile pour les novices de créer des images proches de la réalité à cause de leur manque de familiarité avec les habiletés pratiquées à l'entraînement. Mais l'imagerie peuvent les aider à améliorer leurs performances en établissant une idée de base sur à quoi ressemble un mouvement, tandis que les experts utilisent l'imagerie pour développer des stratégies et se préparent mentalement pour exécuter leurs actions.

4.6.3. Programmation et planification de l'action.

4.6.3.1. Caractéristiques de l'imagerie mentale

DEUX CARACTÉRISTIQUES sont considérées. Lorsque l'image est vivace, on parle d'image nette et lorsqu'elle est vivide on parle d'image floue. L'important chez le sportif c'est qu'il arrive à contrôler l'image : savoir la contrôler, arriver à la faire démarrer quand on veut et de la finir également quand on veut. Dans sa représentation de l'image, le sportif doit arriver à capter la vitesse réelle, l'image au ralenti, l'image accélérée, l'arrêt sur image, le séquençage en boucle. On parle d'exactitude et de contrôle de l'image motrice.

4.6.3.2. Condition d'efficacité

POUR QUE LE CONTRÔLE puisse se faire et que l'imagerie soit efficace, le sportif doit avoir une bonne connaissance du geste au préalable. Certaines taches motrices se prêtent plus que d'autre à l'imagerie mentale, par exemple, les disciplines stables, codifiée. Cependant, le niveau de maturation, le niveau d'expérience permet une plus grande finesse.

4.6.4. Applications pratiques

● Évaluation de l'imagerie, questionnaire de Martens (permet de déterminer si la personne est plus du type visuel, kinesthésique ...)

● Répétition mentale dynamique : le fait d'associer un geste avec l'imagerie permet d'augmenter son exactitude. Elle se pratique généralement dans un lieu calme, puis avec l'expérience, on doit être capable de faire de l'imagerie n'importe où.

C'EST UNE PRATIQUE couteuse sur le plan émotionnel, 2 ou 3 min suffisent pour un geste. Court et ciblé.

Ne jamais réaliser d'imagerie avant la nuit, le risque est de refaire la course durant le sommeil. En général, elle se fait après la dernière séance d'entraînement. Le recours à l'imagerie mentale est en passe de devenir une méthode d'entraînement incontournable qui, jusqu'à présent était utilisé de manière informelle parfois même à la limite de la conscience. Néanmoins, l'utilisation de cette technique requiert un certain nombre de précautions ainsi que l'accord de l'athlète.

4.7. La Relaxation

ELLE FAIT PARTIE DES nombreuses méthodes psychosomatiques qui modifient le comportement par l'intermédiaire du vécu corporel. La relaxation repose sur de nombreux principe dont l'un est le contrôle du tonus musculaire. En effet, les travaux menés sur la relaxation ont montré que le tonus musculaire était étroitement lié au niveau de tension psychologique de la personne et réciproquement. C'est au niveau de la musculature lisse (viscères) mais aussi des muscles striés que se reflètent le mieux, sur le plan clinique, les réactions au stress. Le Stress est : *" Le syndrome d'adaptation de l'organisme suite à une agression physique ou psychologique "* (Selye, 1972). Le stress est géré suivant un procédé psycho-régulatif. La plupart des chercheurs préconisent l'évacuation de cette tension subjective vécue par l'individu par l'utilisation des méthodes de la relaxation. Elles reposent sur quelques principes qui dominent différemment selon les écoles.

4.7.1. Principes

LE PREMIER DE CES PRINCIPES part d'une constatation fondamentale : il existe un lien entre tension psychique et musculaire. L'état de contraction musculaire s'accompagne d'une tension psychologique inferieure et réciproquement le relâchement musculaire induit une détente psychique. En modifiant l'état de contraction musculaire on agit donc par rétroaction sur la tension psychique et sur les troubles et symptômes qui en résultent. L'apprentissage du contrôle volontaire du tonus musculaire, en permettant le relâchement des muscles, diminue la stimulation cérébrale supérieure, ce qui procure l'état de bien-être.

La relaxation est un mécanisme de rétroaction entre la tension musculaire et l'activité cérébrale corticale consciente. C'est au niveau de la musculature lisse (viscérale) et striée (volontaire) que se reflète le mieux les réactions de l'organisme au stress comme aux stimulations les plus banales. Les variations de tension sont donc un bon indicateur de stress et d'anxiété. Dans les états de stress induits par des stimuli émotionnels, on observe l'accroissement de la tension musculaire. La relaxation, en diminuant la tension musculaire, conduit à la maitrise du stress et au contrôle de l'anxiété. C'est donc par le biais d'un travail corporel que l'on s'intéresse au psychisme. Le travail corporel, disons seulement l'activité physique, suivie d'une relaxation autonome ou dirigée, permet:

- D'améliorer la régénération

- De développer les capacités de concentration

- De favoriser la mobilisation rapide et optimum de l'énergie

- De faciliter la récupération

- Et d'atténuer la fatigue provoquer par les charges (sous-charges ou surcharges psychiques)

Elle s'applique efficacement aux dystonies neurovégétatives, à l'hyperémotivité et aux affections psychosomatiques, notamment à l'insomnie. Pour toutes ses raisons, nous estimons utile de vous proposer un programme basé sur un plan comportemental regroupant des méthodes telles que les exercices de gymnastique approprié, d'un entraînement psycho-musculaire, d'une influence acoustique et d'une relaxation musculaire progressive.

4.7.2. Entraînement psycho-musculaire

DÉFINITION : C'EST une méthode qui a été développée vers les années 1980 par une savante allemande du nom de FROHNER. Son objectif était de sensibiliser tous les groupes musculaires de façon visée. Il s'agit d'une relaxation psychique et d'une dégradation du stimulus restant. C'est donc une relaxation psychique et musculaire. Les principes sont les suivants:

- Imaginer les surfaces de contacts et de non-contact du corps avec le sol
- Essayer de " détacher " les muscles (s'étirer)

- Respiration ventrale
- Durée de 2 à 5 mn

Le sujet sera soumis à une combinaison de l'entraînement autogène et d'exercice tirés du Yoga.

- Couché sur le dos, il essaye de ressentir les points de contacts et de non contact de son corps avec le sol. Toutes les surfaces du corps devraient être élargies le plus possible.

- Couché dorsal, jambe droite fléchie sur la jambe gauche, la main droite au-dessus, la tête droite, les épaules en contact avec le sol. Dans cette position on essaie de se représenter mentalement les points de contacts et de non-contact du corps. On s'imagine les muscles qui sont étirés. Au début de l'exercice, le sujet pose seulement la main sur le genou et lorsque l'étirement devient plus facile, il appuie progressivement dessus. Concernant la respiration, il doit inspirer en soulevant les épaules et expirer en soulevant le ventre (pousser le diaphragme vers le bas)

- Toujours sur le dos, les jambes fléchies et les mains croisées sur le genou, la tête et le coup doivent former une ligne droite. Il imagine les zones de contacts et de non-contacts en portant son attention sur les muscles sollicités (long dorsal, fessiers, quadriceps), respirer par le ventre. Amener les pieds derrière la tête, les jambes bien tendues et suivre le même principe.

- Se retourner doucement et se mettre sur la position du cobra. Coucher sur le ventre les mains proches du corps, essayer de relever le buste.

- Petit-colis: le sujet se met en position quadriceps. En inspirant, il fait dos rond au maximum avant de relâcher et poser la poitrine sur les genoux, les mains derrière les pieds. Dans cette, le sujet se relève en gardant les mains au sol.

● Ramener une jambe vers l'avant puis l'autre, garder cette position avec les jambes tendues. Le passage d'un exercice à un autre doit être harmonieux, cohérent et économique.

4.6.3. Influence acoustique

IL S'AGIT DU PRINCIPE d'utilisation de la musique dans une séance d'entraînement psycho-musculaire. Le sujet:

● Établit des rapports entre l'écoute de la musique et la sensation du corps propre

● Choisit une intensité sonore adéquate (inférieure à 85 décibels)

● Augmente l'effet motivant, relâchant et activant de la musique par combinaison d'images sensibilisantes et d'exercices sensori-moteurs

● Choisit une musique instrumentale et mélodieuse

4.7.4. Relaxation musculaire de Jacobson

JACOBSON A JETÉ LES bases de sa technique en 1934 aux États Unis ou elle est largement diffusée. S'appuyant sur des études électromyographiques, il constata que même au repos un muscle maintient une tension musculaire. De ses expérimentations, il en déduit que:

"la nervosité, l'émotion, la réflexion, l'imagination et tous les autres processus mentaux comportent des patterns neuromusculaires transitoires mesurables avec précisions au moment même de leur manifestation" (Jacobson, 1938).

Jacobson propose une relaxation progressive permettant de contrôler le stress. Elle a la particularité d'utiliser le tonus musculaire et en particulier ses variations, pour diminuer le niveau de stress. Elle se traduit par une baisse du tonus musculaire, sensation de lourdeur, accompagné par une sensation de calme proche du sommeil.

La méthode de Biofeedback, utilise un appareillage spécifique pour enregistrer et amplifier certains indices physiologiques (FC, FR, EMG, EEG). Le travail peut s'échelonner sur quelques mois à plusieurs années. Elle comporte deux degrés : la relaxation générale et la relaxation différentielle. Réduite à 6 exercices corporels et précédée d'une contraction volontaire et forcée suivie d'un relâchement du groupe musculaire concerné:

- Les bras
- Le front et les yeux
- La mâchoire
- Le cou et les épaules
- Le thorax, l'abdomen et le dos
- Les cuisses, les jambes et les pieds

La prise de conscience que tension désagréable et détente agréable sont particulièrement mis en avant. Les séances s'effectueront trois fois dans la semaine pour une durée d'une heure tente minute par séance. L'après-midi très avancé serait le moment le plus approprié pour réaliser ces séances.

4.7.5. Relation entre la pression et la performance

Figure 3 : modélisation en U inversé

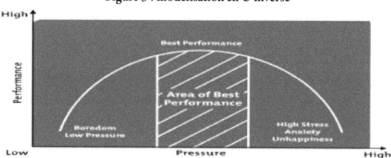

Source: Yerkes et Dodson (1908)

LE MODÈLE DU U INVERSÉ (également connu sous le nom de la loi de Yerkes-Dodson), a été créé par des psychologues Robert Yerkes et John Dodson en 1908. Malgré son âge, c'est un modèle qui a résisté à l'épreuve du temps. Il montre la relation entre la pression (ou de stimulation) et le rendement. Selon ce modèle, la performance la plus élevée est atteinte quand les gens éprouvent un niveau modéré de pression. Là où ils subissent une pression trop élevée ou trop faible, leur performance diminue, parfois sévèrement. Le côté gauche du graphique montre la situation où les gens sont sous-employés. Ici, ils ne voient aucune raison de travailler dur à une tâche, ou ils abordent leur travail de façon démotivée et le travail est bâclé. Le milieu du graphique porte le signe d'une efficacité maximale. C'est à dire qu'ils sont suffisamment motivés pour travailler dur sans pour autant être surchargés. Ceci est où les gens peuvent entrer dans un état de "Flux," l'état agréable et très productif dans lequel ils peuvent faire de leur mieux.

Le côté droit du graphique montre où ils commencent à "se désagréger sous pression". Ils sont submergés par le volume et l'ampleur des taches qui sollicitent leur attention, ils commencent à paniquer.

La forme de la courbe en U inversé de la figure 3 n'est en réalité qu'une illustration. En réalité, la forme de la courbe dépend de la situation et de la personne. Il existe quatre principaux " facteurs " qui peuvent influer sur ce sujet: le niveau de compétence, la personnalité, du trait d'anxiété et la complexité des tâches.

- Pas de pression : mauvaise performance

- Trop de pression : mauvaise performance

- Il existe une Zone Optimale Fonctionnelle de performance qui dépend des personnes et de l'activité pratiquée

4.7.6. Techniques de gestion du stress

PLUSIEURS TECHNIQUES sont employées pour la gestion du stress. Il s'agit des techniques d'activation et des techniques d'inhibition.

4.7.6.1. Les techniques d'activation

- Employer une stratégie de motivation (menaces, orgueil, fierté)
- Fixer des buts
- Utiliser du monologue positif pour chaque athlète
- Appliquer l'imagerie mentale.

4.7.6.2. Les techniques d'inhibition

LA RELAXATION: PARTANT de cette observation plusieurs méthodes de relaxation ont vu le jour:

- Méthodes Somato-psychiques (JACOBSON, Biofeedback):

- Méthodes Psychosomatiques (training autogène, méditation transcendantale): le training autogène de SCHULTZ (1938) est un système d'exercice ayant pour objectif d'atteindre un état de conscience modifié entre la veille et le sommeil proche de l'hypnose. La personne se concentre sur la voix qui va occulter toutes les autres sensations. On recherche dans cette technique, la sensation de pesanteur, de chaleur due à une vasodilatation périphérique puis une sensation de fraicheur au niveau du front. Utilisées pour traiter un état de stress trop important, des troubles du sommeil. 20 min de relaxation correspondent à 2h de sommeil.

- Méthodes mixte (sophrologie, yoga) : la sophrologie est une méthode qui empreinte aux précédentes certaines techniques, mais utilise des termes, des appellations différentes. Le yoga travaille sur des postures, la respiration, la fréquence cardiaque afin de contrôler le niveau de stress.

- Désensibilisation systématique basée sur une approche béhavioriste. On expose l'athlète à une petite dose de stress contre laquelle il va progressivement s'immuniser. Méthode relativement longue à mettre en place.

- Méthode d'arrêt de la pensée: mise en place de barrière de stop aux réponses de stress, puis appliquer une méthode de relaxation afin d'aborder correctement la situation. (Ex : appel du patron).

- Sur – apprentissage: il s'agit de répéter jusqu'au dernier moment des méthodes, des techniques ... Permet d'éviter l'inactivité qui engendre le stress.

● Imagerie mentale: les pensées négatives augmentent les réactions corporelles du stress. L'intérêt est donc d'évacuer l'esprit vers un univers connu et reposant.

● Routines de performance: mise en place de tic, de comportements que l'on associe à la performance.

● Contrôle de l'environnement: climat de confiance. C'est une méthode d'intervention indirect, contrôle de toutes les sources de stress qui peuvent perturber l'athlète (voyage, réservations, matériel, ravitaillement).

● Entraînement modelé: c'est rendre les conditions d'entraînement plus stressante (d'un point de vue physique, et psychologique) que la compétition, de telle sorte qu'elle apparaisse comme une récompense, comme une banalité.

La gestion du stress est un enjeu majeur dans le sport de compétition d'où la nécessité de connaître les mécanismes du stress, mais aussi les techniques de gestions (Coping). L'utilisation de ces techniques de relaxation ne peut s'envisager sans une étroite collaboration entre l'athlète, l'entraîneur et le psychologue. Selon cette définition :

"Les méthodes de relaxation sont des conduites thérapeutiques, rééducatives ou éducatives, utilisant des techniques élaborées et codifiées, s'exerçant spécifiquement sur le secteur tonique de la personnalité. La décontraction neuromusculaire aboutit à un tonus de repos, base d'une détente physique et psychique ". (Durand De Bousingen, 1992)

Le but visé est essentiellement un relâchement du tonus musculaire. Plus simplement dit, elle cherche une baisse des tensions musculaires pour créer une détente psychique ou mentale.

4.8. Le Dialogue Interne

Le dialogue interne est un élément essentiel de l'entraînement des habiletés mentales. Cependant, les mesures quantitatives liées au dialogue interne n'ont été développées que récemment. Hardy et al ont été les premiers à faire des études dans ce domaine. Ils ont utilisé le dialogue interne dans une approche quantitative et il s'est avéré que ce dernier est un facteur multidimensionnel (Hardy J. G., 2001) L'être humain pense pendant tout le temps qu'il est éveillé. Il est difficile de vouloir arrêter ses idées. Si on devait ne penser à rien pendant trente (30) secondes, vider son esprit de toute activité consciente, on se rendrait compte que c'est plus difficile que nous ne l'imaginons. Nous nous rendrons vite compte que c'est une tâche virtuelle presque impossible. Tout effort visant à vider l'esprit pousserait plutôt augmenter un flux important de pensées qui peuvent même causer d'autres pensées au moment inopportun. Cette vague continue de pensées, positive ou négative s'appelle le discours interne (self-talk), et il joue un rôle important autant dans la détermination des émotions et des humeurs.

L'environnement externe (le soleil ou le froid par exemple) joue un rôle important dans nos humeurs et émotions. Qu'en est-il de l'environnement interne (ce qui se passe dans notre tête) qui influence encore plus nos humeurs et émotions. Le dialogue interne, comme son nom l'indique, pourrait être défini comme étant " la meilleure pensée de ce que l'on se dit " (Hackfort & Schwenkmezger, 1993). Vous pouvez vous parler à haute voix ou vous pouvez vous parler dans votre tête de manière à ce que vous soyez le seul à vous entendre.

En psychologie du sport, les recherches se sont orientées pour la plupart dans le contenu du dialogue interne, et spécialement sur l'effet positif ou négatif du dialogue interne sur la performance (Dagrou, Gauvin, & Halliwell, 1991). Aussi, la recherche expérimentale a soutenu l'utilisation du dialogue interne positif (Dagrou, Gauvin, & Halliwell, 1992), (Mahoney & Avener, 1977), tandis que les enquêtes sur le terrain ont montré des résultats moins concluants. Cependant, d'autres recherches ont trouvé que le dialogue interne négatif pourrait être associé à l'amélioration de la performance (Highlen & Bennet, 1983) tandis que d'autres études n'ont trouvé aucun effet sur la performance concernant le dialogue interne positif comparé au dialogue interne négatif (Rotella, 1980).

Le livre le plus connu sur le sujet est probablement " The Inner Game ", publié en 1976 par Timothy Gallwey. Cet entraîneur de tennis a continué à développer sa théorie dans une série de livres sur "le jeu intérieur" en golf, en ski, en musique, au travail et ailleurs. Son point de vue a souvent été caricaturé comme l'idée selon laquelle " penser casse la performance ", mais son véritable argumentaire est plus subtil. Il s'inspire de la tradition, issue du Bouddhisme zen, de " l'attention consciente ", c'est à dire une attention sans jugement et se concentrant sur des objectifs plutôt que sur une technique prescriptive ("Mets plus de tension dans ton poignet sur ce revers, petit!"). Il utilise la métaphore d'un chat chassant un oiseau pour illustrer cette structure d'esprit performant idéale :

"Alerte sans effort, le chat se tapit, rassemblant ses muscles détendus avant le bond. Sans penser au moment où sauter ou à quand il poussera sur ses jambes pour atteindre la bonne distance, son esprit est calme et parfaitement concentré sur sa proie. Sans éclairs de conscience, sans penser à la possibilité qu'il rate son coup ou aux conséquences. Il ne voit que l'oiseau. Et ensuite, aucune autosatisfaction, seulement la récompense correspondant à son action : l'oiseau dans sa bouche.".

Le chat est complètement " dans le moment " ou "in the zone". Il affiche une concentration dépassionnée sur la récompense désirée et il bouge avec une grande fluidité et une grande précision, précisément parce que sa méthode est instinctive et non verbale. Les psychologues et les entraîneurs débattent depuis longtemps de la façon dont les dialogues intérieurs ou internes affectent le fonctionnement des athlètes. C'est ainsi que Gallwey, 1976, essaie d'expliquer le dialogue interne à travers son concept de "jeu intérieur":

"Dans toute entreprise humaine, il y a deux arènes d'engagement : l'extérieur et l'intérieur. Le jeu extérieur est joué sur une arène extérieure pour surmonter les obstacles externes afin d'atteindre un objectif externe. Le jeu intérieur a lieu dans l'esprit du joueur et se joue contre ces obstacles comme la peur, le manque de confiance en soi, les

difficultés de concentration, et des concepts ou des hypothèses restrictives. Le jeu intérieur est joué pour surmonter les obstacles auto-imposés qui empêchent un individu ou une équipe d'accéder à leur plein potentiel ". (Gallwey, 1976)

Pour Burton et Raedeke (2008), les entraineurs et les joueurs devraient comprendre ce qu'est le dialogue interne et comment cela marche. Ils devraient également être capables d'expliquer les huit (8) stratégies nécessaires pour mettre en place un programme de pensées positives. Ainsi, ils pourront décrire les types de pensées négatives utilisées par la critique interne. Ils devront aussi comprendre comment optimiser le dialogue interne en réalisant les trois phases de développement des habiletés du dialogue–intelligent: éducation, acquisition et adaptation. Ainsi, le dialogue interne peut affecter la performance en sport. Plus une pensée se répète et plus elle devient automatique.

Les pensées positives et négatives peuvent assez se répéter pour devenir des croyances. Le fait de jouer devant un grand public hostile lors d'un match à l'extérieur peut amener un entraîneur à être anxieux parce qu'il voudrait que son équipe joue bien, impressionne leurs fans, et leur montrer qu'il est un bon entraîneur. Si cette inquiétude se répète assez, il peut mener à une croyance qui peut pousser à l'anxiété quel que soit le lieu de compétition devant un large public à l'extérieur même si rien ne s'y prêterait.

Les sportifs eux-mêmes peuvent vivre la même expérience suivant le même processus en ayant des pensées positives ou négatives qui deviennent, à force de répétition, des croyances. Un discours interne positif entraine un état d'esprit dans lequel le sportif montre le meilleur de lui-même. Cependant, un discours interne négatif peut mener à un état d'esprit bloquant dans lequel le sportif les pensées irrationnelles cause des contre-performances.

4.8.1. Comment le dialogue interne marche-t-il?

LA PLUPART DES ENTRAINEURS et des sportifs pensent que les émotions et les comportements sont le produit des situations dans lesquelles la compétition se déroule. Votre meilleur joueur rate un lancer-franc dans les dernières secondes et vous perdez le titre de champion national par un point d'écart. Chaque situation représente un défi unique. Mais est ce que cette situation impose automatiquement une situation de stress ou de confiance ?

Selon Albert Ellis (Ellis, 1996) dans son ABC du dialogue interne, A représentant la situation, l'évènement activant. C'est tout ce qui vous arrive à ton athlète, comme le besoin de faire un réajustement sur une défense critique sur les 20 dernières secondes d'une finale de championnat avec un point d'écart en votre faveur. C représente les conséquences, a comment vous vous sentez ou comment vous réagissez à cette situation.

Dans le tableau ci-dessous, les conséquences négatives pourraient inclure les émotions (stress, anxiété) et le trouble du comportement (une faible concentration, une réaction inappropriée). Cependant, les conséquences positives peuvent inclurent des émotions positives (défi, enthousiasme) et une attitude positive (bonne concentration, anticipation, réaction rapide). Enfin le B représente nos croyances sur la situation à ce que nous pensons entre A et B. C'est notre interprétation de la situation et elle détermine nos émotions et notre comportement a un niveau encore beaucoup plus élevé que la situation pourrait créer elle-même. Les pensées positives " je me suis bien préparé pour ce moment. Malgré la pression je suis confiant " devrait mener le sportif à sentir des émotions positives et bien jouer.

Tandis que les pensées négatives peuvent mener à des conséquences improductives. Les pensées négatives, " c'est leur meilleur tireur, je n'ai pas beaucoup de chance face à lui " créeront des émotions négatives qui provoqueront des tensions musculaires et une réaction lente. Le principe de base du dialogue interne est que nous n'arriverons toujours pas à contrôler ce qui nous arrive mais nous pouvons contrôler comment nous répondrons aux situations incontrôlables.

Tableau 4 : comparaison des dialogues internes positifs et négatifs

Positif	Négatif
Positif et optimiste	Négatif et pessimiste
Logique, rationnel et productif	Illogique, irrationnel et improductif
Stimule la confiance en soi	Inhibe la confiance en soi
Augmente la concentration sur la tâche	Diminue la concentration et augmente la distraction
Concentrer sur le présent	Concentrer sur le passé ou le futur
Stimule l'excitation optimale ou l'énergie est élevée, positive, et on est orienté vers le processus	Sous ou surexcité
Te motive à dépasser vos limites	Te motive à abandonner plus tôt
Évalue les problèmes comme un défi ou une opportunité	Évalue les problèmes comme une menace ou un problème à éliminer
Attribue le succès aux facteurs internes rééditables	Attribue le succès aux facteurs externes non rééditables
Attribue l'échec à des facteurs surmontables	Attribue l'échec à des facteurs insurmontables
Allège le stress	Stimule le stress
Minimum de pensées orientées vers le processus	Maximum de pensées orientées vers le produit
Améliore la performance	Handicape la performance

Source: Burton & Raedeke (2008)

Ainsi, la théorie d'Ellis (1996), dans le livre de Burton et *al* (2008), nous décrit les attitudes qui limiteraient le potentiel:

- "Je dois être bon en sport, sinon je suis quelqu'un d'incompétent et sans intérêt" "Je dois être bon pour susciter l'amour et l'approbation des autres sinon c'est horrible".

- "Tout le monde doit me traiter respectueusement et justement".

- "Les conditions de ma vie doivent être arrangées de telle sorte que je puisse obtenir ce que je veux facilement et rapidement".

La liste d'Ellis (1996), illustre beaucoup des formes cognitives dysfonctionnelles chez les sportifs, les patients en psychothérapie et à peu près tout le monde. Parmi celles-ci, on peut noter notamment le catastrophisme (*"Si je perds, cela mettra fin à ma carrière"*), le fait de fonder sa valeur-propre sur le succès (*"Si je perds, je ne suis pas un vrai homme"*), la personnalisation (*"Mon lancer-franc raté a fait perdre l'équipe"*), l'accusation (*"Son lancer-franc raté a fait perdre l'équipe*"), la pensée "*tout noir ou tout blanc*" ("*Je suis nul*", "*Il est imbattable*") et la généralisation ("*Je rate toujours quand je tente cette passe*").

Pourtant, le dialogue basé sur le négatif ne semble pas si mauvais si on prend en compte les explications de Michael Brus, dans son article intitulé Pourquoi le dégout de soi peut faire gagner un sportif ? (Brus, 2013). Il y démontre ce qu'une vidéo du célèbre tennisman Tommy HAAS s'invectivant révèle à la psychologie du sport. Selon Michael Brus, rien ne prédestinait Haas à battre Novak Djokovic, le numéro 1 mondial de l'époque. A 35 ans, le tennisman allemand, joueur le plus âgé du tableau masculin, le top de sa carrière clairement derrière lui (son meilleur classement fut deuxième mondial, en 2002), a été éliminé au troisième tour de l'épreuve new-yorkaise par le Russe Mikhaïl Youzhny.

Néanmoins, après plusieurs années gâchées par les blessures, Haas connaît une renaissance. Tête de série n°12 à New York, il a battu Novak Djokovic un peu plus tôt cette année, devenant le plus vieux joueur depuis trente ans à battre un numéro un mondial. Haas est visiblement en très grande forme physique, mais son mental, lui aussi, est l'un des meilleurs du monde. Quelle est donc son approche mentaliste ? Il analysa une de vidéo de Haas qui remonte aux quarts de finale de l'Open d'Australie 2007. Il donna ainsi un aperçu exceptionnel et curieux des pensées les plus intimes de ce sportif.

La vidéo montre Haas, mené deux sets à un par Nikolaï Davydenko, jouer dans le filet un coup droit facile à 15-40 sur son service, et perdre sa mise en jeu pour la cinquième fois du match. Pendant le changement de côté, il se fustige lui-même dans son allemand maternel : " Tu ne peux pas gagner en jouant comme ça, Haasi. Ça ne va pas. Ça ne marche pas ainsi. Ça ne marche pas. Beaucoup trop faible. Trop d'erreurs. Trop d'erreurs. [Un groupe de membres du public commence à chanter en anglais, puis Haas remercie en anglais quelqu'un de lui avoir apporté quelque chose.] C'est toujours pareil. [Il se mouche dans une serviette tandis qu'on entend un spectateur l'encourageant: "Allez Thomas".] *Je ne veux plus de ça. Je ne le veux plus. Pourquoi est-ce que je fais tout ce m...? Pourquoi? Pour qui? A part pour moi. Pourquoi? Pour quelle raison? Je ne peux pas faire ça. Je ne comprends pas. Je paye des gens pour rien. Pour rien du tout.*

[Il boit des petites gorgées d'eau et reste calme quelques secondes.] Parce que ça peut m'exciter. Tu es un idiot. [Le même groupe de spectateurs commence à chanter quelque chose comme : "Allez Tommy!"] Une fois de plus, tu n'es pas allé au filet. Bien joué... [Il termine de boire, enlève sa casquette, coiffe ses cheveux en arrière, remet sa casquette.] Mais tu vas gagner. Tu vas gagner ce match, allez ! Tu ne peux pas le perdre. Bats-toi! [Il se lève et retourne sur le court.]"

La vidéo montre ensuite Haas gagner le point suivant, un long échange de douze coups conclus par un revers long de ligne. Son monologue au bord du court l'a-t-il aidé à bien jouer ? A tout point de vue, on note dans son monologue interne un passage du négatif au positif, de l'accusation à l'auto-observation, de la critique et de l'auto-flagellation. Malgré le négativisme de son action, il remarque une certaine orientation vers l'action. Il semblerait que le négativisme à une fonction de motivation pour Haas.

Au vu de la performance de Haas, il semblerait que les fonctions associées au fait de se parler à soi-même pourraient ne pas être aussi évidentes que ce que les psychologues du sport ne le pensent. La fonction de motivation pourrait être la clef pour comprendre le dialogue interne de Haas. Pour lui, les explosions de négativité (mélangées à des corrections tactiques et des réflexions existentielles) servent au moins de tremplin vers des phrases positives de motivation et, finalement, vers de meilleures performances. Cependant, selon (Mackay & Fanning, 1992):

"Les schémas de pensées négatives gênent le cours normal de l'état d'esprit des athlètes en créant une panne mentale, en dégonflant leur confiance, en encourage le pessimisme, en réduisant la concentration et la motivation, en perturbant l'excitation optimale et enfin en affaiblissant la force mentale nécessaire pour faire face à l'échec ou l'adversité".

Ainsi, pour reconnaître et changer les schémas de pensées négatives on recommande (Burton & Raedeke, 2008) de nous familiariser aux cinq types de pensées fausses et cinq croyances irrationnelles communes que notre critique intérieur utilise pour promouvoir les pensées négatives et une mentalité de défaillance.

4.8.2. La critique

C'EST LE TERME QUE le psychologue Eugene Sagan utilisa pour décrire la voie intérieure qui vous attaque et vous juge. La critique vous blâme lorsque les choses ne marchent pas et vous compare aux autres négativement. En effet, elle met en place des standards de perfection impossible et vous pousse à l'échec et maintient l'album de vos échecs et ignores vos succès vécus.

Certains auteurs dans ce domaine affirment de plus que:

"La critique a planifié en détail votre vie et vous dénonce à chaque fois que vous brisez une des règles non écrites avec lesquelles vous êtes censé vivre. Elle vous nomme stupide, manque de talent, faible, lent, égoïste et vous dit que c'est la réalité. La critique lit les autres esprits et vous dit qu'ils sont frustrés, ennuyants, malheureux autour de vous et exagère la taille et l'impact de votre faiblesse. Si vous manquez un tir facile, la critique vous dit " un bon joueur ne raterait jamais un tel tir ". Elle utilise même vos propres valeurs contre vous ". (Mackay & Fanning, 1992).

En résumé, la critique est la partie la plus négative de nous, et elle vous tape là où cela fait mal, là ou votre estime de soi est la plus faible. Ainsi, pour développer un discours interne efficace et intelligent, nous devons être capables de taire la critique et porter notre attention sur plus de schémas de pensées positives.

4.8.3. La pensée altérée

ELLE CONSISTE À TIRER des conclusions erronées, basées sur des informations insuffisantes ou fausses ou en omettant de distinguer le fantasme de la réalité (Beck, 1976). On note cinq types de pensées altérées: le catastrophisme, la généralisation exagérée, le blâme, la mystification et la pensée polarisée:

● Le catastrophisme: cela signifie le fait de s'attendre au pire en exagérant les conséquences négatives d'un évènement réel ou imaginé. Pour contrer le catastrophisme, il faut se poser la question à savoir quelle est la pire chose qui peut arriver dans cette situation.

Même si la situation peut être déplaisante, cela peut être quelque chose que vous avez vécu et qui peut encore arriver.

• La généralisation exagérée: c'est le processus qui consiste à établir de manière erronée des conclusions basées sur un incident isolé tout en ignorant les faits généraux. Par exemple, un joueur de basketball qui rate un lancer franc à un moment crucial pourrait penser qu'il a succombé à la pression, même si en fait, il a marqué deux paniers victorieux pour chaque lancer franc raté. Pour contrer la généralisation exagérée, il faut amener les athlètes à tout évaluer de manière précise et voir la part de cet évènement dans le schéma global. Les statistiques peuvent aider à relativiser les faits.

• Le blâme: implique le fait de tenir les autres pour responsable des évènements négatifs qui vous arrivent. Ces accusateurs ont une myriade d'excuses pour expliquer leurs échecs et déconvenues et ils accusent les entraineurs, les joueurs, les parents et les arbitres. Blâmer les autres diminue le risque d'échec mais donne un tout petit espoir pour le succès. Pour contrer le blâme, on peut aider les sportifs à reconnaître qu'ils doivent accepter le blâme en cas d'échec pour apporter des changements positifs dans le futur. Ceci peut servir autant pour les entraineurs qui doivent accepter leur part de l'échec par rapport à leurs joueurs ou par rapport à leurs équipes, ce qui donne plus de chance de voir les causes de l'échec comme surmontable.

• La mystification quant à elle implique une des croyances suivantes: que la vie devrait être vécue selon un ensemble de règles rigides que chacun doit ou devrait suivre sans aucune déviation, ou les choses dans notre vie doivent être comme nous voulons qu'elles soient. Les athlètes qui adoptent cette approche finiront avec un sentiment de frustration et de colère lorsque les choses ne se passeront pas de la façon souhaitée. Pour contrer cela, on doit aider les athlètes à reconnaître que la vie est souvent injuste et que nous devons simplement accepter le fait et faire du mieux avec cela.

● La pensée polarisée: c'est la condition du tout ou rien, bon ou mauvais, ou noir ou blanc. Ces individus prennent des positions extrêmes et se donne peu de possibilités d'êtres humains donc capables de faire des erreurs. Ils se voient soit en vedette soit en flop et cette auto-labellisation dans les termes absolus peut affecter directement la performance. Pour éviter cela, il faut aider les athlètes à reconnaître qu'il y a autant de gris dans ce monde qu'il vaudrait mieux adopter une position pragmatique entre les extrêmes.

4.8.4. Les croyances irrationnelles

LES CROYANCES IRRATIONNELLES peuvent aller au détriment des athlètes et à celui de leur performance. Selon Ellis, 1996, elles peuvent constituer des facteurs d'anxiété, de stress et de dépression. D'où l'importance de les reconnaître et les recadrer. Les croyances irrationnelles impliquent une distorsion cognitive - sous forme de preuves boiteux et de logique contestable - mais sont encore plus séduisante parce qu'elles reposent également sur des faits partiels. Recadrer ces croyances exige un débat intense pour convaincre les athlètes sur la nature irrationnelle de leur pensée. Examinons les cinq croyances préjudiciables à la performance sportive:

● Le perfectionnisme: "je devrais être compétent sur tous les aspects de mon jeu à tout moment, ne jamais avoir des hauts et des bas ou faire des erreurs". Combien de plans de match imparfaits, de faibles ajustements ou de décisions fautives John Wooden a-t-il commis en gagnant avec l'UCLA 10 titres de champion en 12 ans ? Combien de pertes de balles, lacunes défensives et de tirs manqués Michael Jordan a-t-il fait durant sa carrière Hall-of-Fame? Les champions font des erreurs et échouent très souvent mais ils s'engagent à apprendre de leurs erreurs sans les fuir. John Wooden croit que c'est l'équipe qui commet plus d'erreurs qui gagnent le plus souvent, car l'agressivité pousse à faire des erreurs mais c'est la clé du succès. Il faut aider les athlètes à développer l'excellence, ou la critique est utilisée pour apprendre et s'améliorer, ou l'estime de soi est basée sur le déploiement de ses plus grandes qualités, et ne pas se focaliser sur la victoire. Burton (2008), suggère d'utiliser les arguments contraires cités ci-dessous pour recadrer le perfectionnisme:

• L'erreur est une partie intégrante de l'apprentissage. Seuls ceux qui ne voudraient pas être meilleurs peuvent se permettre de ne pas faire des erreurs

• Les erreurs sont des pas vers le succès

• Les meilleurs font autant d'erreurs que tout le monde; c'est juste un peu plus difficile de le remarquer

Il ne faudrait pas avoir peur de faire d'erreurs, il faut au contraire apprendre à partir d'elles. Il vaut mieux être agressif et accepter les erreurs en tant que gage du développement plutôt que de stagner parce qu'on veut éviter les erreurs. Il faut s'efforcer de garder le discours interne focalisé sur l'excellence et non sur le perfectionnisme.

• La peur de perdre: "j'ai peur que mon équipe ne joue pas bien aujourd'hui". "J'ai peur de ne pas marquer ce tir". "Nous devons gagner le tournoi". Lorsque l'entraîneur ou ses joueurs disent ce genre de choses, ils tombent sous le coup d'une peur irrationnelle de perdre. Il y a des peurs de perdre tout à fait normal, mais lorsque votre inquiétude par rapport à l'échec vous alourdit votre enthousiasme à gagner, cela est irrationnel. On peut utiliser ces contre arguments pour recadrer leurs pensées:

1. Lorsqu'on dit que quelque chose doit arriver, vous voulez dire au fond de vous-même que vous ne pourrez pas le supporter lorsque si cela n'arrive pas. En fait, même si un résultat non souhaité peut être dérangeant, il n'est pas insupportable.

2. Il arrive qu'un joueur joue en deça de son potentiel, mais cela ne le prive pas de ses amis, cela ne vous pas non plus une maladie mortelle ou ruine votre vie amoureuse

3. Quelle est la pire chose qui peut arriver? Il peut ne pas être agréable, mais nous avons surement survécu à quelque chose de similaire avant.

- L'approbation sociale. "Je dois gagner pour conquérir l'approbation des autres et impressionner tous ceux qui me regardent jouer!". "Je ne pourrais pas affronter mes joueurs si mon système de jeu ne marche pas!". "Ils penserons pas que je suis un bon joueur si je n'arrive pas à arrêter mon adversaire direct!". Voici quelques phrases que nos athlètes ou entraineurs lancent souvent. En réalité, tout le monde veut une approbation sociale, mais lorsque les entraineurs et les joueurs font une fixation à vouloir plaire aux autres ou ont justement peur de la désapprobation sociale, leur désir devient irrationnel. Ces arguments suivants aideront à recadrer les pensées:

1. On ne peut pas contrôler ce que les autres pensent ou comment ils se comportent
2. Les gens peuvent trouver des défauts même avec les Hall Of Famers. Les critiques ont taxé Joe Torre d'être trop décontracté, Phil Jackson d'être trop copain-copain et Vince Lombardi d'être intraitable. Si les gens peuvent critiquer les plus grands entraineurs de l'histoire, elles peuvent trouver des défauts à tout le monde.
3. Il faut accepter le fait que ce que les autres pensent de vous ne peuvent pas vous faire mal.
4. Faites-vous plaisir et trouver plaisant le fait de coacher ou de jouer. Il faut s'assurer de se sentir bien en regardant la personne que vous voyez dans le miroir chaque matin.

- L'équité. "La vie doit être juste, si je travaille avec diligence, je dois m'améliorer, bien jouer et avoir les récompenses que je mérite". Les entraineurs et les joueurs qui de manière irrationnelle pensent que tout doit être juste dans la vie font le genre de déclarations suivantes: "nous devions plus nous améliorer avec tout le travail que nous accomplissons ", " c'est injuste qu'un mauvais arbitrage nous fait perdre ce match". Il est normal de rechercher l'équité, mais cela devient irrationnel lorsque nous voudrions que la vie soit toujours juste et suis nos préférences. Les arguments suivants pourront aider à recadrer nos pensées:

1. La vie est souvent injuste
2. Le progrès n'est pas toujours prévisible. La qualité de la performance tend à sursauter, osciller puis se stabiliser. Même si les améliorations ne sont pas toujours visibles, vous êtes en train de poser les bases pour un futur développement.
3. Oublier les choses que vous ne pouvez pas contrôler et se concentrer sur ce que vous faites le mieux et que vous pouvez contrôler. La persévérance paye toujours. Les iniquités s'égalisent sur le long chemin.

● La comparaison sociale. "Le comportement et la performance des autres est importants à mes yeux et peuvent détruire mon jeu". La comparaison sociale est l'une des croyances irrationnelles les plus insidieuses en sport, et elle s'opère dans les commentaires telles que: "Nous n'avons jamais bien joué contre cette équipe" ou "Gagner est la seule chose qui compte". La comparaison sociale donne trop d'importance sur les résultats complètement incontrôlables tels que gagner ou surpasser les autres, au lieu de se concentrer sur les facteurs contrôlables comme jouer à son meilleur niveau.

Les arguments suivants pourront aider à recadrer nos pensées:

● Il nous arrive de ne pas gagner même si on fait de notre mieux. Gagner est une capacité non maitrisée. Vous ne devez avoir aucun regret si vous mettez tout l'effort nécessaire et jouer à votre meilleur niveau.

● Le vrai but en sport et dans la vie est de rechercher l'excellence en faisant du mieux avec le talent que nous avons.

● Vous n'avez aucun contrôle sur comment les autres jouent, ils ne peuvent pas non plus vous contrôlez à moins que vous leur laisser le faire. Concentrez-vous à jouer à votre meilleur niveau et rester sur votre plan de jeu.

4.8.5. Optimisation du dialogue interne

SE PARLER POSITIVEMENT peut améliorer la performance selon Burton et Raedeke, 2008. Le processus de l'optimisation est relativement simple. Les sportifs doivent d'abord comprendre leurs schémas de discours interne actuels (positif et négatif) et utiliser les stratégies variées pour améliorer de manière proactive la quantité et la qualité de leurs pensées positives. Enfin, ils doivent corriger toutes pensées négatives en demeure. Les chercheurs (Burton et Raedeke, 2008) nous proposent les étapes suivantes:

4.8.5.1. Prendre conscience de ses tendances concernant le dialogue interne

LES POSSIBILITÉS SONT nombreuses pour amener les athlètes à prendre plus conscience de leur discours interne.

1. **Imagerie**: demander aux athlètes de se rappeler une compétition pendant laquelle ils ont bien joué. Après qu'ils aient pris conscience pendant quelques minutes de tout ce qui s'est passé pendant cette compétition où ils étaient brillants, on leur demande d'écrire les pensées spécifiques qu'ils avaient pendant la compétition, mais aussi les dialogues internes utilisés pour gagner. Après avoir enregistré leurs discours internes positifs comme négatifs, on leur demande de comparer les deux listes en identifiant les modèles de discours internes positifs comme négatifs qui ont impacté sur leur performance.

2. **Énumérer les pensées négatives**: une autre façon de prendre plus conscience des modèles de discours interne est de compter les pensées négatives. Certains athlètes trouvent cela plus élucidant que d'examiner leurs modèles de discours interne. La meilleure façon de conduire un entraînement sur l'énumération des pensées négatives est de les enregistrer par la vidéo et le rejouer pour stimuler le rappelle de leurs pensées négatives.

3. **Journal de bord après entraînement ou compétition**: les athlètes peuvent certainement mieux identifier leurs modèles d'auto-persuasion sportive en remplissant les journaux de bord après

l'entraînement ou la compétition. Les journaux d'après entraînement peuvent être enregistrés quotidiennement, de manière hebdomadaire ou à l'occasion afin de revoir les situations pendant lesquelles les athlètes ont besoin de contrôler leurs idées. Les journaux pour les compétitions peuvent être complétés après chaque rencontre. Ils peuvent commencer d'abord à remplir le la fiche du journal de bord (voir figure) pour au moins quelques entraînements et quelques compétitions. On leur demande ensuite de choisir jusqu'à trois pensées positives et trois pensées négatives.

Dans la fiche, les athlètes décrivent brièvement chaque situation, amplifier sa nature positive et note une émotion positive prédominante pour chaque situation (bonheur, satisfaction, excitation, ou fierté). Ensuite, ils identifient et note les pensées positives spécifiques dont ils se sont rappelés. Après, les athlètes répètent le processus pour trois situations négatives, à l'entraînement ou en compétition, pendant lesquelles les joueurs ont fait une mauvaise prestation et ont vécu des émotions négatives. Ils décrivent brièvement chaque situation négative, note leur émotion négative la plus prédominante pour chaque situation (tristesse, insatisfaction, colère, embarras) et identifient la pensée négative spécifique qu'ils ont eu pendant cette expérience.

Si les athlètes rencontrent des difficultés à avoir une idée générale de l'entraînement ou de la compétition en évaluant les situations individuelles positives et négatives, il faut les encourager à noter une Attitude Mentale Positive (AMP) générale tous les jours. Ils doivent noter l'AMP de 1 à 10, avec 1 représentant le plus négatif jour de leur vie, et 10 étant le jour le plus positif de leur vie. Le score de l'AMP doit représenter la qualité de tous les jours en rapport avec le nombre de situation. Cela représente leur état d'esprit. Ces informations peuvent servir à programmer les pensées positives.

4.8.6. Programme de pensées positives

LES ATHLÈTES PEUVENT apporter des changements significatifs s'ils se focalisent sur les pensées positives et les répètent fréquemment. Cela peut être fait en programmant les pensées positives, et les athlètes peuvent utiliser cet outil pour améliorer leur confiance en soi, leur concentration, augmenter leur motivation, contrôler le stress et bien sûr jouer de manière optimale. Une des moyens de programmer les pensées positives et d'utiliser les affirmations positives, les slogans motivationnels qui leur rappels leurs aptitudes et leurs capacités: "je suis un sportif talentueux possédant les capacités pour faire le travail". En tant qu'entraîneur, on peut utiliser également les slogans, les devises et les affirmations positives: "les appuis sont les clés du succès" pour amener les joueurs à se focaliser sur un objectif clé de l'équipe.

Tableau 5 : fiche d'enregistrement des pensées négatives et positives

AMP journalier _____ Jour _____

Situations positive	Émotions prédominant	Pensées positive	Temps du texte lu ou jou
1			1
			2
2			3
			4
3			5
			6
Situations négativ	Émotions prédominant	Pensées négativ	Arguments contraires
1			
2			
3			

Source: Burton & Raedeke (2008)

Nous voyons donc que le monologue interne (ou discours ou dialogue interne) est une vague de pensées et un dialogue interne qui se passe dans notre tête de manière constante. Ces pensées ont un impact majeur sur nos émotions et nos humeurs donc sur la performance. Pour optimiser le monologue interne, il est impératif de pouvoir programmer des pensées positives et de reformuler les pensées négatives. Ainsi, l'utilisation de la vidéo avant et après l'entraînement ou la compétition peut être un outil important pour préciser la qualité des éléments du discours positif et négatifs. De même les entraineurs peuvent aider leurs athlètes à programmer des pensées positives à travers des stratégies de monologue interne.

4.9. Le Contrôle Attentionnel

EN DÉCRIVANT LES GRANDES performances de certains sportifs, on se rend comptent que ces derniers étaient complètement concentrés sur la compétition et n'étaient pas au courant des distractions. Il leur arrive de déclarer qu'ils étaient tellement concentrés qu'ils n'entendaient même pas le bruit des supporters. Même si d'autres affirment que même s'ils entendaient le bruit des gradins cela n'avait aucun impact négatif sur leur concentration car ils se focalisaient sur l'essentiel. La concentration est une habileté mentale essentielle pour accomplir des performances élevées et l'un des rôles primaires de l'entraînement mental est d'aider les sportifs à se focaliser sur leur tâche, bloquant toutes distractions en maintenant leur attention jusqu'au bout.

Pour montrer l'importance de l'attention, nous allons, après l'avoir défini, donner ses caractéristiques, sa durée et son intensité mais également les conditions qui le favorisent. Enfin, son rôle, son implication dans le sport et les moyens pour le développer seront passés en revue. On parle de concentration lorsque tous les processus psychologiques sont orientés vers le saisissement du problème et la recherche de solution.

Ainsi,

> "L'attention ou la concentration est la faculté de l'esprit de se consacrer à un objet : d'utiliser ses capacités à l'observation, l'étude, le jugement d'une chose quelle qu'elle soit, ou encore à la pratique d'une action. L'attention est exclusive du fait qu'on ne peut réellement porter son attention que sur un objet à la fois, même si on peut parfois avoir le sentiment inverse (on peut faire deux choses simultanées si l'une ne requiert pas d'attention)" (Anderson, 2004).

James, considéré comme le père de la psychologie américaine, a donné de l'attention une définition devenue classique:

> "L'attention ou la concentration est la prise de possession par l'esprit, sous une forme claire et vive, d'un objet ou d'une suite de pensées parmi

plusieurs qui semblent possibles [...] Elle implique le retrait de certains objets afin de traiter plus efficacement les autres". (James, 1980)

4.9.1. Caractéristiques

SI LA TÂCHE EST DIFFICILE et les conditions de concentration faibles, cela entraine une exigence élevée. La concentration est le fait de diriger sa réflexion vers un point précis. C'est donc se focaliser. Il arrive que plusieurs informations se présentent en même temps et des solutions jaillissent pour la résolution d'un problème tactique par exemple. La nécessité de sélectionner une action, faire un choix parmi plusieurs possibles et prendre une décision s'impose. Il s'agit d'une exigence de sélection et d'anticipation surtout au niveau des sports collectifs. Si se concentrer signifie se focaliser sur un point, il pourrait autant signifier se protéger (*je ne me laisse pas entrainer par le public, je me protège*). En résumé, la concentration signifie se focaliser, se protéger, sélectionner et anticiper.

4.9.2. Durée et intensité de la concentration

ELLE PEUT ÊTRE DE LONGUE, moyenne ou de courte durée avec une intensité élevée, moyenne ou faible. Chez les marathoniens, elle est de longue durée avec une intensité faible tandis qu'elle est de courte durée avec une intensité élevée lors des lancers francs par exemple.

Tableau 6 : représentation de l'intensité et de la durée de la concentration

	Durée de la concentration	Intensité de la concentration
Marathon	Longue	Faible
Lancer franc	Courte	Elevée
Course de 100m	Courte	Elevée
Service au volleyball	Courte	Elevée
Judo	Moyenne	Moyenne

Source: Burton et Raedeke (2008)

● **Les conditions favorisant la concentration**

1. La motivation actuelle: si on est convaincu d'une chose, on le réalise correctement. Il existe un rapport étroit entre motivation et

concentration.

2. Le niveau d'activation du système nerveux central: avec un niveau d'activation faible, la pose des électrodes révèle des ondes alpha. Ce qui prouve une activité cérébrale faible. La présence des ondes beta est la preuve de l'augmentation de l'activité cérébrale. Il s'agit donc d'élever ce niveau en faisant des exercices de réactions.

3. Un bon état physique: un mauvais état physique pousse un sportif à déployer plus d'énergie pour se concentrer. Exemple: un tireur au pistolet qui manque de force au niveau de l'avant-bras.

4. L'état émotionnel actuel: un sportif surexcité perdra le contrôle de sa concentration, ce qui a une concentration sur la motricité.

5. La sensibilité neuromusculaire: si le corps (les muscles) est crispé suite à une forte émotion, l'athlète perd ses sensations kinesthésiques.

Figure 4 : les conditions qui favorisent la concentration

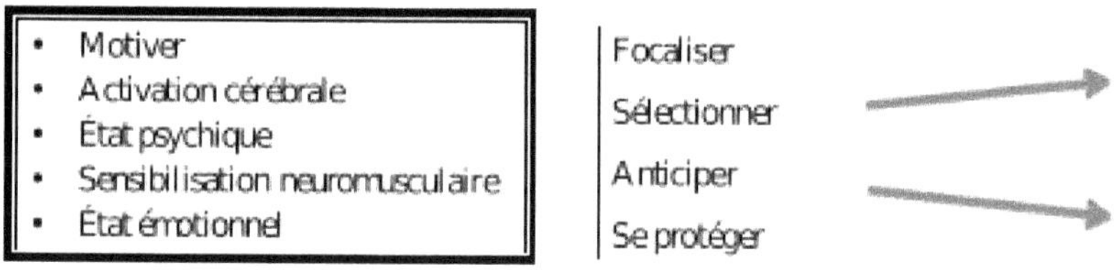

Source: Cours International Training Kurses (ITK), Université de Leipzig (2003)

4.9.3. Rôle de l'attention

L'ATTENTION EST UN facteur de l'efficience cognitive, qu'il s'agisse de percevoir, de mémoriser ou de résoudre des problèmes. Les ressources attentionnelles dont on dispose dépendent des caractéristiques personnelles et de la situation dans laquelle il se trouve. La première hypothèse en psychologie cognitive consista à considérer que le traitement de l'information était affecté à un canal unique. Donc plusieurs informations ne pouvaient être traitées à la fois. Cette première hypothèse amena à rechercher l'étape du traitement de l'information où se posait le problème d'un tel goulot d'étranglement limitant la capacité en parallèle de multiples informations.

Dans les années 1960, et au début des années 1970, cette hypothèse fut remplacée par celle de ressources attentionnelles cognitives. On distingue des processus attentionnels automatiques et des processus attentionnels conscients et contrôlés. La détection automatique fonctionne en parallèle: plusieurs éléments peuvent être traités simultanément. La prospection contrôlée fonctionne en série: chaque élément est traité successivement.

4.9.4. Les implications en sport

IL EST COURANT DE CONSTATER qu'en décrivant leurs grosses performances, les sportifs disent unanimement que leur attention était totalement orientée vers leur jeu qu'il n'était pas au courant des distractions aux alentours. Il leur arrivede déclarer qu'ils étaient tellement concentrés sur leur performance qu'ils n'entendaient même pas les cris des spectateurs. D'autres, cependant, bien qu'étant aux courant du bruit et des cris des spectateurs, arrivaient à maintenir leur concentration.

A première vue, les choses semblent très simples. On s'en rend compte lorsqu'on essaie de bloquer les distractions autour nous en faisant une tâche précise. Et les entraineurs sont très bien placés pour le dire, car ils rencontrent beaucoup de difficultés pour amener leurs athlètes à se concentrer. Des remarques de ce genre sont nombreuses : nous n'étions pas assez concentrés et nous avons fait beaucoup d'erreurs impardonnables ". Combien de fois nous est-il arrivé d'entendre les entraineurs demander à leurs joueurs de se concentrer sans leur dire comment ils doivent le faire ? Il leur arrive de crier sur leurs athlètes en leur demandant de garder leur tête sur le jeu, et les athlètes serrant les dents essaient de se concentrer encore plus.

A l'instar des autres habilités mentales discutées dans cette présente étude, l'attention est essentielle pour accomplir de grande chose en sport. Il nous arrive souvent de voir un athlète faire de grosses erreurs par manque d'attention. Le plus petit moment d'inattention peut avoir d'énormes conséquences sur la performance:

Huit coureurs sont sur les starting-blocks pour la finale de 100m sprint aux Jeux Olympiques. Chaque coureur, dans un " bon jour ", ou avec une petite aide des concurrents, est capable de gagner la médaille d'or.

Sur la base de ce fait, on peut s'interroger sur les autres variables critiques qui peuvent déterminer le futur vainqueur. (Ndieffer, 1995).

Il y a trois facteurs qui vont déterminer le vainqueur.

- La capacité de concentration du coureur
- La longueur des appuis
- La fréquence des appuis.

L'attention (la concentration) joue un rôle de plusieurs manières. Le plus évident se trouve au niveau du départ de la course. Si le coureur rate son départ à cause des distractions ou il n'était pas prêt à cause des réflexions mentales sur que faire ou ne pas faire, (mental check-list) ou bien même à cause des pensées négatives, il ratera sa course. Ce n'est pas l'attention ou l'énergie mentale qui va pousser l'athlète à dominer les autres. C'est au contraire une combinaison de la fréquence des appuis et la longueur des appuis. Le sportif avec le meilleur ratio de la fréquence des appuis et la longueur des appuis, avec un bon départ qui va gagner.

L'intervention psychologique qui fera la différence sur le résultat final devra avoir un impact sur les trois facteurs concernés. Pour convaincre le plus sceptique des sportifs ou entraîneur dans le but de les aider à améliorer leur performance, il faudra démontrer la connexion directe entre le service à offrir et les variables concernées. Il faudra démontrer comment la technique utilisée impact sur l'attention ou l'activation des muscles qui contrôle la fréquence des appuis par exemple et la relaxation des muscles qui interagissent avec ces variables.

Le sprint est une activité sportive très simple. Simple si on considère la façon de penser, de mettre des stratégies en place, de modifier l'attention d'un point à un autre ou même de réajuster ses performances. " Il est commun d'entendre que le sprint n'est pas une science des fusées. L s'agit juste de courir le plus rapidement possible lorsque le coup de pistolet retenti ". En effet, d'autres sports, comme les sports collectifs, comme d'ailleurs le basketball, exigent beaucoup plus de l'athlète quand il s'agit de contrôler l'attention et le niveau émotionnel et physiologique de l'engagement.

Cependant, aussi simple qu'un sprint peut sembler être, s'il y a une rupture au niveau de l'attention qui détruit le départ, il faudrait retrouver les causes et apporter une solution pour que cela ne se reproduise plus. Que faire lorsque la rétraction musculaire interfère avec la largeur des foulées et la fréquence des appuis ? C'est en répondant à toutes ces questions dans toutes les situations critiques de performance, mais aussi en démontrant la relation entre la capacité d'un athlète à modifier son attention par rapport aux exigences, combinée au contrôle émotionnel qui affecte la tension musculaire, le timing, la coordination, que l'entraînement du contrôle attentionnel (E.C.A) est sollicité.

L'entraînement du contrôle attentionnel (E.C.A) est plus qu'une technique. C'est un processus complexe qui implique les éléments suivants:

- L'éducation, la définition de la concentration pour les sportifs et les entraineurs, la clarification des rapports entre la concentration et les paramètres physiologiques variés comme la respiration et la tension musculaire qui affecte la performance;

- L'évaluation, l'identification des exigences de la préparation à la performance et leur positionnement par rapport à la capacité de concentration de l'athlète, sur la base des caractéristiques personnels et interpersonnels qui permet de prédire les types de situation qui agissent sur la performance et les erreurs probables.

Pour comprendre l'attention, Burton et Raedeke, 2008, explique ce phénomène complexe en discutant la nature de cette qualité mentale, montrant ainsi comment et pourquoi cet acte simple de se concentrer est un réel défi pour beaucoup de sportif et comment l'attention est liée au succès en sport.

4.9.4.1. Que signifie-t-il de prêter attention?

POUR CES AUTEURS L'ATTENTION est le processus qui dirige notre conscience vers la prise en compte de l'information disponible à travers nos sens. Nous recevons de manière continue des informations provenant de l'environnement externe et interne. En fait, en tout moment, nos sens sont envahis de stimuli. Si nous arrêtons de lire cette thèse pendant un moment et rediriger notre attention ailleurs, il peut nous arriver d'entendre la télévision ou les enfants jouer. On pourrait aussi prendre conscience des stimuli internes comme la faim ou la fatigue. Il nous est pratiquement impossible de percevoir toutes les informations sensitives qui arrivent à notre système nerveux central. Au moment où les informations sont perçues, il faudrait décider l'action à entreprendre et ce processus exige de l'attention. Ainsi, l'attention implique la perception des informations sensitives lesquelles sont utilisées pour prendre des décisions et choisir des réponses.

Figure 5 : le rôle de l'attention dans la perception et la prise de décision

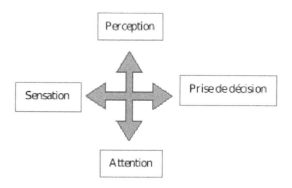

Source: Krane et Williams (2006)

CHAQUE SPORT EST UNIQUE au niveau des informations sensorielles qu'il faut percevoir pour des performances optimales mais certains aspects de l'attention sont communs selon les sports. Les exigences de la concentration peuvent être vues à travers deux dimensions : largeur (large ou étroit) et direction (interne et externe) comme le montre la figure. La largeur de l'attention fait référence au nombre de stimuli que le sportif doit s'occuper à un moment donné. Dans certains sports ou situations sportives, le sportif doit être au courant de plusieurs stimuli presque simultanément, alors que d'autres exigent qu'ils délimitent l'attention à quelques points.

Une attention large est exigée lorsqu'un meneur de jeu au basketball joue la contre-attaque. Une attention étroite est exigée lorsqu'un basketteur exécute des lancers francs. La direction de l'attention, en revanche, réfère au fait que l'athlète est concentré sur ses propres pensées et sentiments ou vers l'extérieur sur les événements qui se déroulent autour de lui. Une concentration interne est sollicitée pour analyser ce qui se passe pendant le jeu, planifier la stratégie, lire son corps (état de son corps et de ses sentiments). Une concentration externe est souhaitée pour évaluer une situation et exécuter des techniques et des stratégies.

Au-delà de porter son attention sur la tâche choisie, le sportif a besoin des fois de bloquer toutes les distractions internes et externes. La capacité de bloquer les distractions et maintenir son attention est appelée concentration. Lorsque les repères exacts sur quoi un athlète doit se concentrer changent très rapidement, cela complique l'attention. Ainsi, les athlètes doivent changer leur point de concentration selon les besoins de la tâche.

Tableau 7 : modèle des dimensions de l'attention

Analyse et planifie

Source: Krane et Williams (2006)

4.9.4.1. Est-ce que l'attention affecte le succès en sport ?

LA RECHERCHE EN PSYCHOLOGIE du sport a clairement établi que les facteurs reliés à l'attention sont déterminants pour le succès en sport. A ce titre, il a été démontré que :

"Les grands champions sont meilleurs dans l'exercice de maintenir leur attention sur une tâche pendant une compétition par rapport aux sportifs moins accomplis. Les champions soutiennent être moins distraits par les stimuli négligeables, et lorsque ces derniers deviennent distrayants, ils sont capables de se concentrer sans grand effort". (Krane & Williams, 2006)

L'un des souteneurs de l'importance du rôle que l'attention joue en sport est (Abernethy & Wood, 2001), qui a examiné les différences entre le sportif expert et le sportif novice. Il a fait remarquer que les bons joueurs donnent l'impression que le sport est facile à pratiquer: observer un joueur de tennis qui semble être à la bonne place au bon moment par exemple. Il est facile d'attribuer cette qualité à un temps de réaction supérieure, à la vision, à la profondeur de la perception ou à d'autres attributs physiques. Mais les chercheurs soutiennent que l'expert ne joue de manière excellente que sur des taches liées à leur sport de prédilection. Aussi, beaucoup de documents s'accordent à montrer que la différence entre l'expert et le novice se trouve au niveau des facteurs liés à l'attention, aux qualités spécifiques de ce sport. Les experts sont plus enclins à extraire plus d'information et maintenir leur attention sur des indices pertinents liés à la tâche que le novice.

Ainsi, les conseils basés sur l'automaticité de l'habileté que l'on peut suggérer pour l'entraînement sont d'abord d'éviter de surcharger l'apprenant d'informations lorsqu'il apprend une nouvelle technique. Un coach de la petite catégorie se plaignait que ses joueurs ne se concentraient pas à l'entraînement et avait sollicité de l'aide à Tom Raedeke (Burton & Raedeke, 2008). Ce dernier, après avoir observé leur entraînement réalisa que le coach avait raison mais pas parce qu'ils ne portaient pas attention à ce qu'ils faisaient mais parce que leur système d'attention était surchargé. Le contenu d'entraînement était trop avancé pour leur niveau et dépassait de loin leur capacité attentionnelle. Pour éviter ce genre de situation, Tom Raedeke recommande de:

- Simplifier les habilités lorsque ce sont des débutants

- Simplifier les stratégies et les exigences de la prise de décision

- S'assurer que les apprenants répètent et automatisent les fondamentaux de base de cette habileté.

4.9.4.3. Comment développer la concentration

IL S'AGIT D'ANALYSER les conditions favorables à la concentration aussi bien à l'entraînement qu'en compétition, puis optimiser l'état avant de prendre des mesures pour développer la concentration :

- Optimiser l'état nécessite une transmission de consignes précises et nettes. Ensuite motiver le sportif, sensibiliser sa musculature, harmoniser son émotion par une technique respiratoire et enfin activer l'état physique. Tous ces facteurs doivent être améliorés progressivement. Cependant, le travail doit être réalisé quantitativement entre 70-80% en fonction des possibilités de l'athlète par :

1. L'entraînement idéomoteur peut être combiné à des exercices sensorimoteurs. Puis ajouter des exercices d'imaginations motrices et d'imitation.
2. L'entraînement de la perception en demandant à l'athlète de porter son attention sur les muscles qui participent aux gestes ou aux techniques en gardant les yeux fermés
3. L'entraînement de l'auto-instruction et de l'auto-commande.

L'entraînement de la concentration nécessite la mesure du résultat en comparant le prévu et le réel. Et l'un des moyens de contrôle est la reproduction sensorimotrice.

Tableau 8 : **procédé méthodique du développement de la concentration**

• • • •

	Taches		Mesures
1	Analyse des taches sportives spécifiques et des conditions de concentration préalables à la réalisation des exigences	→	Evaluation (jugement) d'experts Expériences psychologiques Analyses d'entraînements et de compétitions
2	Optimiser l'état actuel : Motiver/activer Sensibiliser Harmoniser émotionnellement Activer physiquement	→	Objectifs nets et identification Attente réaliste de la performance Relaxation et sensibilisation psycho musculaire Entraînement de désensibilisation
3	Développement d'une concentration spécifique	→	Entraînement idéomoteur en rapport avec des exercices sensori-moteurs Entraînement de la perception Entraînement de l'auto-instruction Entraînement proche de la compétition Taches doubles Changement d'orientation Attitude multiple Objectifs qualitatifs et quantitatifs
4	Contrôle de l'efficacité du feedback	→	Evaluation de performance (réel-subjectif/réel objectif) Reproduction sensori motrice Contrôles d'activités psychomotrices

Source: Burton et Raedeke (2008)

Figure 6 : concentration spécifique à une tache

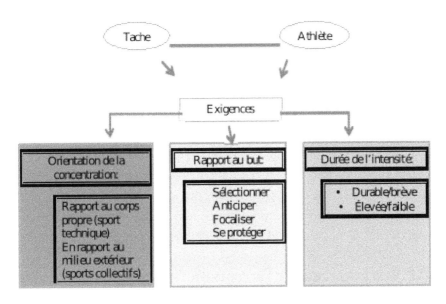

SOURCE: BURTON ET RAEDEKE (2008)

4.10. L'Activation

LES ENTRAINEURS RENCONTRENT souvent des sportifs qui ont la peur au ventre ou tellement tendu qu'ils n'arrivent pas donner le meilleur d'eux même pendant des moments cruciaux de la compétition : lancer franc de fin de match, tir aux buts. Ils nous arrivent de regarder des joueurs complètement dominés par leurs adversaires en fin de partie par manque d'énergie, des joueurs qui n'arrivent pas à repousser les barrières de la fatigue. Tous ces sportifs devraient bénéficier de l'utilisation des techniques d'activation.

Ces techniques sont importantes pour le succès dans certains sports mais elles s'avèrent indispensables pour d'autres. Les entraineurs reconnaissent l'importance de l'activation dans les situations compétitives pendant lesquelles ils encouragent leurs sportifs à se mobiliser pour gagner. Malheureusement, beaucoup de sportifs ne savent pas comment s'y prendre pour une activation optimale.

L'activation est l'opposé de la relaxation et implique de la part du sportif une mobilisation de l'énergie de son corps afin de se préparer à une performance optimale. Elle exige que le sportif apprenne à augmenter sa fréquence cardiaque et sa respiration, stimulant ainsi un plus grand débit sanguin pour les muscles et améliore l'activité cérébrale. Cela exige le développement total et rapide des habiletés de l'activation.

Comme la relaxation, l'activation est un dispositif versatile de l'entraînement mental qui peut être utilisé en sport de plusieurs manières. Les techniques d'activation permettent aux sportifs de tirer le meilleur de l'entraînement, où la baisse du niveau d'énergie réduit la concentration et la motivation. Les problèmes liés à la faiblesse du niveau d'énergie sont moins importants en compétition, sauf en fin de match, lorsque le niveau énergétique est réduit, et pendant les périodes d'adversité et d'échecs. lorsque les sportifs peuvent puiser dans leurs réserves énergétiques pendant ces moments, ce qui leur donne plus de possibilités d'atteindre des performances plus élevées.

4.10.1. Les avantages de l'activation

SELON BURTON ET RAEDEKE (2008, pp91), "*l'intérêt de l'activation implique le contrôle de l'excitation, l'amélioration de la concentration et le renforcement de la confiance*":

● Le contrôle de l'excitation : les sportifs deviennent souvent léthargiques et sous excités en fin de match, avec un manque d'énergie pour jouer de manière agressive. Les techniques d'activation rapides permettent aux sportifs d'atteindre le niveau d'excitation optimale et joue avec le meilleur niveau.

● L'amélioration de la concentration : quand le niveau d'énergie des joueurs est trop bas, ils ont tendances à se concentrer de manière globale, les amenant à se distraire très facilement. Lorsque les sportifs haussent leur niveau d'excitation près de leur capacité optimale, la concentration doit être aiguë, avec une réduction des distractions pour leur permettent une focalisation sur les clés importantes de la performance. Un basketteur sous excité pourrait trouver dans l'activation un moyen d'ignorer les distractions (le public, les scouts sur les stands, ou son plan d'après match) pour se concentrer sur ses objectifs personnels et aider son équipe à exécuter son plan de match.

● Renforcer la confiance : les techniques d'activation améliorent la confiance des sportifs dans leur habilité de bien jouer pendant les moments de fatigue, pendant les dernières minutes du match et pendant les instants difficiles. C'est un dispositif de renforcement de la confiance lorsque les sportifs arrivent à puiser dans leurs réserves énergétiques au besoin tout en contrôlant leur niveau d'excitation dans des périodes où la pression est élevée.

4.10.2. Les stratégies d'activation

COMME POUR LA RELAXATION, Burton et Raedeke (2008), affirme que les sportifs ont besoin d'apprendre les techniques d'activation complètes avant d'accomplir les techniques rapides d'activation dans les situations de compétition. Une fois à l'aise sur les techniques d'activation complètes, les techniques d'activation rapides pourront être introduites comme seconde étape. La nature de la compétition (dynamique, pression, le temps limité) exige que l'activation soit rapide, efficace et personnalisée. Les chercheurs ont proposé différentes techniques basées sur l'auto-activation et l'activation par autrui.

4.10.3. Formes d'activation

4.10.3.1. Auto-activation:

● La régulation respiratoire: elle est similaire aux techniques de respiration utilisées par les sportifs quand ils se préparent à exécuter des exercices de force, de puissance et de vitesse. Cela implique, une inspiration rapide pour transporter autant d'oxygène possible aux muscles en action. Un bodybuilder pourrait utiliser cette technique de respiration avant de soulever les charges maximales, ou un sprinter avant de courir un 100m. La technique demande une respiration rapide utilisant les poumons au lieu du diaphragme. Il s'agit de respirer 4 à 5 fois et crier fort. Elle est efficace dans l'élévation du niveau d'excitabilité. Cela concerne également les sports explosifs comme le lancer de poids et les sauts.

- Auto-instruction: exemple: aller jusqu'au bout

- Imagination d'évènement mobilisant basé sur une réflexion de succès : Ici, les sportifs s'imaginent en train de revoir les images d'une compétition pendant laquelle ils étaient très énergiques, sentaient la fatigue mais ils y ont démontré une certaine capacité à relever le défi de manière victorieuse. Pour que l'imagerie puisse promouvoir une technique complète de l'activation, les sportifs doivent se rappeler ce qu'ils ont vu, senti, touché, entendu, ressenti de même que leurs humeurs et émotions.

- Combinaison d'imagination d'évènements mobilisant et imitation motrice

- Auto-animation: cri de guerre

- Conduite d'un monologue et réflexion mentale du déroulement moteur avec accentuation du rythme

- Méthode de l'arrêt des idées: stop à la réflexion

4.10.3.2. Activation par autrui:

- Musique activant

- Images émotionnelles

- Activation par les supporters

- Coaching verbal et non verbal chargé d'émotions: les coachs doivent apprendre les gestes qui motivent et qui démotivent les sportifs

- Travailler avec des odeurs mobilisant

- Confrontation avec l'adversaire

LA REVUE DES COMPÉTENCES psychologiques de cette étude n'est pas exhaustive. Cependant, elle met en exergue l'importance de plusieurs éléments nécessaires à la réalisation de performance sachant que des facteurs, des personnes, des éléments, des situations interagissent sur le projet sportif. Dans le cadre de la détection et de la sélection de futurs champions, des diagnostics peuvent être utilisés pour détecter les sujets possédant les meilleures aptitudes et sélectionner ceux capables de faire face à un objectif. Des outils d'investigation (questionnaires, échelles comportementales, etc.) permettent d'aider à savoir en quoi et comment la personnalité d'un sujet influence le choix d'une pratique sportive, la pousse à s'investir dans une activité sportive définie et lui permet de réussir dans celle-ci.

LA PSYCHOLOGIE DU SPORT ET LA PERFORMANCE EN AFRIQUE

5. La Perspective Africaine

La science face à l'ancrage traditionnel et la légitimation par les acteurs

L e sport subi des influences liées à la société dans laquelle il est pratique. Pour procéder, sous cet angle, à l'analyse de la psychologie du sport sous la perspective africaine, il est nécessaire de prendre en compte l'impact des pratiques magico religieuses sur le sport. A vrai dire, ces pratiques jouent un rôle important dans la culture et les sociétés africaines. Leur influence se déploie jusqu'au domaine du sport. En effet, plusieurs faits témoignent de la façon dont les pratiques magico religieuses déploient leurs empreintes sur les athlètes et les organisations sportives en Afrique.

D'un côté, on remarque très souvent que les athlètes portent souvent des symboles religieux. Dans de nombreux pays africains, il est courant de voir les athlètes porter des amulettes et gris-gris ou des ornements religieux, tels que des croix ou des chapelets islamiques, lors d'événements sportifs. Cela sert, certainement, d'expression visible de leur foi et peut également les aider à se sentir plus connectés à leurs croyances religieuses.

D'un autre, il faut noter les rituels religieux avant et après les matchs puis que dans certaines équipes sportives africaines, il est de coutume que les joueurs se livrent à des usages religieux avant et après les matchs. Ceux-ci peuvent inclure des prières de groupe, des invocations ou d'autres observances religieuses. Le but c'est d'aider les joueurs à se sentir plus concentrés et unifiés en tant qu'équipe, et offre également aux athlètes l'occasion d'exprimer leur foi.

De même, on note une très grande influence religieuse sur la gestion de l'équipe. Dans certains cas, les croyances religieuses des propriétaires ou des managers de l'équipe peuvent influencer la manière dont une équipe est gérée. Par exemple, certains propriétaires d'équipes musulmans peuvent préférer embaucher des entraîneurs ou des joueurs musulmans, ou peuvent imposer certaines restrictions religieuses sur les activités ou le comportement de l'équipe. En plus, dans certains pays, les grandes fêtes religieuses peuvent avoir un impact sur les horaires et les événements sportifs. Par exemple, les matchs de football peuvent être reportés ou reprogrammés pendant le Ramadan, car de nombreux athlètes et fans musulmans observent le jeûne pendant ce mois. C'est dans l'ordre des choses dans certains pays comme l'Angleterre et l'Allemagne. Tel n'est pas le cas de la France dont la fédération de football par courriel diffusé jeudi 30 Mars 2023 à tous les arbitres de France, rappelant son interdiction d'interrompre les matches amateurs ayant lieu à la tombée de la nuit pour permettre les ruptures du jeûne, missive d'Éric Borghini, patron de la Commission fédérale des arbitres (Villa, 2023).

A vrai dire, des tensions ou des conflits entre les valeurs religieuses et les valeurs du monde sportif ont toujours existé. En effet, certains groupes religieux peuvent s'opposer à certains sports, comme la lutte ou la boxe, par crainte de violence ou d'impudeur. Ce qui montrent que la religion joue un rôle important dans la pratique du sport dans tous les continents, influençant aussi bien le comportement des athlètes que la gestion des équipes sportives. Cela donne une raison suffisante aux psychologues de sport, qui s'occupent de l'étude du comportement et des processus mentaux des sportifs, de jeter un regard sur la perspective africaine.

5.1. Lors que les "professionnels du mystique" assurent le soutien psychologique.

Aujourd'hui, les entraîneurs africains reconnaissent l'importance de la psychologie du sport et son rôle primordial dans le développement des qualités psychologiques des sportifs. Convaincus du nivellement induit par les progrès techniques tant matériels que biophysiques, les entraîneurs et les chercheurs affirment que ce qui fait la différence entre les sportifs, ce sont les facteurs psychologiques schématiquement réduits à la motivation ou à la capacité du sportif "d'encaisser" le stress lié à la compétition (Broyer, 1983). Cette reconnaissance est également valable chez les athlètes africains eux-mêmes et Marianel FALADE le confirme en répondant à la question suivante: le football sans psychologue du sport, cela peut encore exister selon vous?

"Non. Pour moi c'est crucial. Quand on voit tous les joueurs qui basculent du côté négatif... Les grands joueurs ont tous leur psy privé. Normal, il suffit de se faire lyncher dans les journaux et ressentir la pression pour décliner. C'est pour ça que j'ai choisi ce métier: parce que dans les prochaines décennies, tous les grands clubs auront besoin de nous". (Mollereau, 2020)

LA PSYCHOLOGIE DU SPORT ET LA PERFORMANCE EN AFRIQUE

Le point de vue de Marianel FALADE, footballeur béninois en France et détenteur d'un master en psychologie du sport est démonstratif de l'absence de prise en compte de la psychologie du sport en tant que discipline scientifique par les organisations sportives (clubs, équipes nationales, etc.). D'ailleurs, dans l'interview accordée à Julien Mollereau pour le quotidien luxembourgeois, il affirme dans l'article titré "Chez nous, le football, c'est pour *les délinquants*" que son rêve est de retourner au Benin et de transmettre cet enseignement. Selon lui, l'environnement diffère entre les footballeurs européens et africains, mais il y a beaucoup de points communs. Admettons que les points communs existeraient, ne serait-il pas intéressant de savoir comment le sportif africain utilise-t-il concrètement les facteurs psychologiques de la performance? A-t-il connaissance des méthodes[25] et procédés psychologiques employées dans des situations d'entraînement et de compétition? Utilise-t-il ces stratégies mentales pour optimiser sa performance à l'entraînement et en compétition? En d'autres termes, il est important de savoir si les conditions d'entraînement et de compétitions seraient favorables à l'utilisation des techniques et stratégies portant sur la préparation mentale?

En l'état actuel des choses, c'est l'entraîneur qui prend en charge l'aspect psychologique aussi bien à l'entraînement qu'en compétition. Faute de moyens techniques et stratégiques pour gérer psychologiquement la préparation et la participation aux compétitions, les athlètes et les entraîneurs trouvent d'autres subterfuges. En effet, ils sont très souvent soutenus par un "gourou, marabout" lors des compétitions. De plus, la connaissance, l'apprentissage et l'assimilation des techniques de préparation physique, technique et tactique sont privilégiés au détriment de l'apprentissage et l'assimilation des techniques et stratégies mentales. En réalité, les sportifs africains subissent les influences d'une société où les représentations culturelles et religieuses, ainsi que la superstition ancrée dans la conscience collective des peuples en plus de l'animisme qui a été pendant longtemps une source de recueillement.

Ceci pourrait constituer un des principaux obstacles pour faciliter l'introduction de la psychologie du sport dans les organisations sportives. Les féticheurs, gourous et les marabouts traditionnels (sorciers africains) ont tout le temps contrôlé la plupart des aspects psychologiques (mystiques) du sport d'élite. Pour acquérir plus de confiance, plus de motivation et une meilleure estime de soi, les entraîneurs, les joueurs et même les dirigeants sollicitent l'intervention de ces "marabouts" en payant beaucoup d'argent pour avoir leur service. Plus surprenant encore, c'est le gros succès de ces derniers à l'endroit des entraîneurs, des dirigeants et des joueurs.

5.1.1. Qui sont-ils vraiment, et quel est leur niveau d'implication en sport ?

LE SÉNÉGAL, RECONNU comme le deuxième pays parmi les plus mystiques d'Afrique, derrière le Benin, est suivi du Burkina-Faso, du Gabon et du Tchad, d'après le classement d'Afrikmag (Diack, 2021). Cependant, si la sorcellerie est compréhensible dans certains pays d'Afrique où l'animisme continue de dominer les croyances, il est presque incompréhensible que les marabouts aient le vent en poupe au Sénégal (où la population est à 94 % musulmane[26]), puis que la religion musulmane l'interdit. Cette bravade vient certainement du fait que la mise à distance entre l'État et la religion que suppose la laïcité elle-même est défiée par les politiques. Il ne suffit certainement pas d'appartenir à une lignée religieuse pour être spécialiste du domaine, mais à cause des difficultés de la vie, certains ont trouvé un cadre propice aux pratiques magicoreligieuses et ont abandonné la vaste gamme des rôles d'enseignant du Coran qu'ils exerçaient dans les zones pastorales. Véritablement, ce métier, socialement moins florissant dans les zones rurales, a fini de pousser ces derniers vers un exode et une reconversion où les concurrents sont nombreux (les animistes). Leur champ d'intervention est phénoménal et c'est la raison qui à amener Liliane Kuczynski à admettre que :

"De nombreux anthropologues ont proposé des explications à cette floraison du recours à des personnages médiateurs et à la sorcellerie dans les sociétés urbaines contemporaines, tant dans le champ de l'islam que dans celui d'autres pratiques religieuses. Certains mettent en avant le lien entre sorcellerie et politique, conquête, maintien du pouvoir" (Kuczynski, 2008).

Même si cette vision est sortie hors de son contexte puis que son étude s'est effectuée autour de quelques figures de la sorcellerie chez les marabouts ouest-africains en région parisienne, il est légitime de demander pourquoi se retrouvent-ils en sport ? Certainement, parce que, *"la religion intervenant dans plusieurs aspects de la vie, il est donc évident que le sport, phénomène social, n'échappe pas à ce fait social qui accuse la présence de pratiques magico- religieuses"* (Mbodj, 2008).

Tout de même, un grand nombre de crédits leurs est attribué. Il est devenu commun d'entendre un lutteur sénégalais (la lutte avec frappe est un sport très populaire au Sénégal) ou un joueur de football professionnel attribuer sa réussite à la compétence d'un gourou à la fin d'un combat de lutte avec frappe par exemple ou d'un match de football. Des pancartes ou des t-shirts qui représentent l'effigie d'un marabout sont montrés avant un combat de lutte ou bien après avoir marqué un but dans l'intention de remercier le bienfaiteur.

De plus, la plupart des sports collectifs ou individuels, comptent en leur sein une ou deux personnes qui jouent le rôle d'intermédiaires s'ils ne sont pas eux-mêmes les "gourous". Ces derniers sont très visibles pendant les combats de lutte avec frappe mais complètement ou partiellement dissimulés (beaucoup ne se cachent plus) lorsqu'il s'agit de compétitions qui impliquent les sports d'équipe comme le football ou le basketball par exemple.

Il est courant de voir sur la scène sportive sénégalaise des marabouts qui endossent le rôle de "psychologues" car ils portent un discours psychologique orienté vers le résultat final (la victoire où la défaite) avec des attributions[27] basées sur des causes externes. L'utilisation des bouteilles de " saafara ou eau bénite ", les racines, les écorces, les feuilles d'arbres, l'encens, les bouillons de toute sorte et autres poudres de décoctions qui composent l'arsenal mystique du lutteur, lors des compétitions, avant et pendant les séances d'entraînement, est perceptible chez les lutteurs. Ce qui ne donne pas pour autant de garantie quant au résultat final.

Au basketball, on voit souvent des cas aussi rocambolesques les uns que les autres mais qui n'émeuvent plus personnes ; les observateurs jugeant certainement que cela n'a pas d'effet ou d'impact réel et directe sur le résultat final ; ou considèrent que c'est dans l'ordre normal des choses puis que cela a toujours été ainsi. Il est commun d'assister à des scènes pendant des compétitions à Dakar (Sénégal) où des joueurs ou accompagnateurs – kinésithérapeutes-assistants et dirigeants) versent du liquide ou répandre des ingrédients (sel, poivre, autres) sur le parquet.

Dans les régions du nord comme à Saint -louis du Sénégal, on voit souvent des membres d'un club attiser le feu des fourneaux durant tout le match ou distribuer de l'eau en sachet à des supporters. Le plus hilarant ce sont les responsables de clubs qui sortent du terrain pour appeler on ne sait qui et donner des informations en temps réel sur la rencontre afin d'apporter des changements sur le résultat en cours (qui leur est favorable ou défavorable). De plus, leurs actions pourraient, au même titre que celle de l'entraineur, à cause de son attitude contestataire envers les officiels, être un facteur où une source de violence.

D'ailleurs, certains dirigeants agissent ouvertement, peut être ostensiblement. Ils montrent au su et au vu de tout le monde qu'ils sont en contact avec un marabout pour gérer la situation du match. On se demande bien l'impact que cette attitude pourrait avoir sur la perception de l'entraineur et des sportifs sur la contribution de ce dirigeant et par ricochet du marabout, au résultat final. Ces derniers semblent en effet plus importants que les acteurs eux-mêmes puis qu'ils seraient à l'origine de la victoire qu'ils s'attribuent de manière ostentatoire. Ceci contribue certainement à prouver leur utilité et donc une légitimité. Le paradoxe est que personne ne s'approprie un résultat négatif ou un échec si ce n'est attribué à l'entraineur.

Il est légitime donc de se poser la question de savoir si ces pratiques obéissaient aux mêmes logiques que la lutte? La réponse pencherait vers l'affirmatif si on considère certains propos tenus dans l'ouvrage intitulé Li Ci Tchoumikaay[28]. L'œuvre est co-écrite par Moussa Gningue, préparateur mystique[29] de l'écurie de FASS, et Elhadj Malick Gueye, marabout, chercheur et tradipraticien[30], et qui porte sur les secrets d'une pratique. Selon eux,

"Beaucoup d'articles mystiques que les lutteurs utilisent sont généralement bons pour les sports d'équipes, tels que le football et le basket, entre autres. Pour une équipe composée de plusieurs joueurs, même si les effets des gris-gris n'atteignent qu'un seul joueur, l'équipe a la chance de voir son vœu se réaliser" (Gningue & Gueye, 2014).

Malgré les nombreux déterminants qu'ils ont estimés et toutes les compétences allouées à ces pratiques séculaires, elles n'ont pas pu démontrer l'invincibilité d'un champion de lutte ou simplement des acteurs qui en consomment inlassablement.

Qu'est ce qui a favorisé la légitimation des pratiques mystiques dans la culture sportive sénégalaise ? Sans vouloir heurter la conscience des défenseurs de la science, ces affirmations ne sont-elles pas une preuve de l'existence d'une psychologie du sport à la sénégalaise ? En tout cas, la longévité réputée des pratiques de Moussa Gningue, "*marabout attitré*" de l'écurie de Fass[31] en dit long sur les croyances portées sur la puissance des effets mystiques. L'aspect cultuel qui accompagne la lutte avec frappe permettrait d'accepter la présence des objets mystiques dans cette activité physique particulièrement sénégalaise puisqu'ancrée dans la conscience populaire sénégalaise depuis des siècles.

Néanmoins, il serait logique de se demander si les affirmations contenues dans la citation précédente seraient elles-mêmes suffisantes pour valider leur applicabilité dans les activités sportives importées d'Europe et d'Amérique comme les sports d'équipes (football, handball, volleyball, rugby, basketball, etc.) dépourvues de base cultuelle et culturelle africaine ? Il serait aussi légitime de confronter ceci à la réalité des faits, le football servant de repère, et où, certaines anecdotes semblent rejeter leur efficacité même si certains acteurs les solliciteraient.

D'une part, en décrivant le *Portrait – Joseph Koto – Il était une fois, l'histoire de "Bout de chou"*, *Galsenfoot* explique:

"*Dans l'album jauni de Koto, tout dédié au football, il y a bien sûr les clichés de cette fameuse finale de coupe du Sénégal de l'année 1980 contre le Casa-Sport. Koto est alors interdit de foot par sa maman casaçaise, qui aurait reçu des menaces de mort mystiques contre son garçon. Mais "bout de chou" enjambe l'interdiction maternelle, survole le match et égalise pour la JA, qui soulève la coupe à la fin de la finale. La maman, scotchée à son poste de radio, n'en revient pas*" (Galsenfoot, 2017).

D'autre part, si le rejet est constaté dans cette histoire, le même joueur (Koto), reconverti en entraineur, semble solliciter les services des praticiens de l'exorcisme dont il avait minimisé les compétences. En effet, durant la CAN U20 de 2017, on entendait dans une vidéo de la RTS les deux commentateurs qui avaient remarqué que l'entraineur principal Joseph Koto était au téléphone en plein match, debout près du banc de touche. L'un a posé la question de savoir *"avec qui parlait-il? Avec un sorcier"* (leral.net, 2017), lui avait répondu l'autre commentateur.

Malgré tout, la Zambie avait remporté la finale face au Sénégal, qui était qualifié pour la coupe du monde au même titre que le pays hôte. La CAN 2017 s'était déroulée du 26 février au 12 mars en Zambie. Joueraient-elles les mêmes rôles que la psychologie du sport qui, grâce à l'étude des comportements et des processus mentaux, cherche à optimiser la performance par une régulation de l'état psychologique du sportif, de sa motivation, de sa compétence sociale et de son rendement? Une interrogation approfondie aiderait à répondre à la question suivante : y aurait-il une psychologie du sport à l'africaine?

5.2. Analyse d'une légitimation par les acteurs

Il est très commun de voir les gourous 2.0 faire des consultations en ligne, offrant leurs services aux joueurs de pari sportif (X1bet par exemple). Ils sont populaires et leur nombre ne cesse d'augmenter dans les réseaux sociaux. Leur audience est grandissante et font d'ailleurs des consultations directes (Live) sur TikTok, Facebook et Instagram. A croire que ceux qui les suivent y trouvent leur compte. Cette tendance qui s'est amplifiée dans cette décennie semble marquer la transition des marabouts traditionnels ou classiques vers une communauté moderne de l'exorcisme qui se spécialise aujourd'hui en fonction du sport.

En effet, certains sont passés de la lutte avec frappe au football, tandis que d'autres sont des professionnels mystiques du basketball. Les généralistes ont tout l'air d'avoir compris que la demande est très grande et que le marché (16,5 millions de sénégalais, 1,216 milliard d'africains) s'ouvre en fonction de l'évènement présent : comme le marchand ambulant qui passe de la vente de maillots de football des lions de la Téranga pendant la coupe d'Afrique, à la vente de parapluie pendant la saison des pluies. Ce qui compte pour eux, c'est l'opportunité d'écouler la marchandise et de réduire la tension de la précarité. Surtout que les combats de lutte avec frappe, contrairement au football, manque de régularité ; les grands combats qui nécessitent un bataillon de *marabouts* n'ayant lieu qu'une à deux fois l'an. Ainsi, les pratiques magicoreligieuses avaient déjà gagné une légitimité dans la lutte sénégalaise, dans cet espace dont le décor serait dépouillé de sa substance nutritive si elles disparaissaient.

Pourtant, ces pratiques ne font pas l'unanimité dans le milieu de la lutte où peut être des exceptions ont fait ses beaux jours. C'est le cas de Balla BEYE numéro 1, un lutteur particulier qui n'avait qu'une bouteille d'eau avec lui et il s'en servait pour se désaltérer. Malgré tout, il arrivait à battre ses adversaires. Sa lucidité et sa pertinence dans l'analyse de ses victoires et échecs en dit long sur la confiance qu'il en lui. C'est pourquoi dans l'interview accordée à 2STV, à travers le micro de Bécaye Mbaye[32] (dans Bantamba du 10 février 2016), il explique que les lutteurs d'aujourd'hui misent beaucoup trop sur les pratiques mystiques et cela affecte la confiance et l'estime de soi.

Où sont passés ses moments où la compétence dominait la magie? Est-ce à cause des enjeux? En tout cas, la corrélation entre le nombre de gris-gris ou la quantité de produits "magiques" et le résultat final semble négative pour l'exemple de ce lutteur particulier. Sur cette lancée, Anonyme (24 avril 2012) signale dans son article intitulé *Les pratiques mystiques au cœur de la lutte sénégalaise: le largage des coups invisibles*, publié dans Dakar actu s'alarme:

> "Le recours au surnaturel chez les lutteurs devient quasi obsessionnel voir psychopathologique. Jadis, en à croire les anciennes gloires, le lutteur use généralement de pratiques mystiques en guise de protection. Aujourd'hui, en plus de la protection, l'on recourt aux usages surnaturels, plus en vue de détruire son adversaire pour vaincre : on se pointe des objets, on se jette des substances mystiques, on s'observe à travers des trous de sandales... Même si on ne comprend pas au fond, l'intention de diriger le mal vers son adversaire est manifeste" (Anonyme, 2012).

Ce cri de ce philosophe (il se décrit comme tel) sonne comme un applaudissement dans un concert de couvercles de casseroles et de marmites. Son impuissance est partagée par d'autres individus qui s'activent dans d'autres secteurs même si la majeure partie de nos observés renforcent cette légitimité. En effet, certains africains psychologues du sport, à défaut de convaincre les autorités sportives de l'importance et de l'efficacité de la psychologie du sport, montrent leur impuissance face à l'encrage de l'exorcisme qui a fini d'imposer son dictat dans l'écosystème sportif africain et mondial. En effet, le recours au service du monde occulte ou des esprits (bons ou mauvais) est observable à plusieurs niveaux. Cela se voit au niveau des plus grandes instances que sont les ministères, les fédérations internationales comme la FIFA, les fédérations nationales, etc. Ce même constat est fait aussi bien au niveau des sportifs professionnels qu'au niveau des sportifs amateurs (championnats non professionnels et les navétanes).

Il est déjà établi que l'intervention des psychologues de sport se fait en double sens puis que les facteurs psychologiques affectent la performance de même que la participation au sport affecte les facteurs psychologiques et physiques. Pour cette raison, Dr Ernest DAGROU[33], s'est prononcé sur l'importance de la psychologie du sport en affirmant que toute sélection nationale doit avoir un psychologue pour échanger avec les joueurs et surtout les motiver. Mais remarque-t-il, en Afrique surtout, les dirigeants et les athlètes se fient beaucoup aux féticheurs et négligent le psychologue.

"On ne demande pas aux athlètes de divorcer d'avec les féticheurs parce que cela est d'ordre culturel. Mais il faut qu'il y ait un psychologue en sélection nationale comme cela se fait au sein des grandes équipes. C'est dommage, les Éléphants n'ont pas de psychologue. On fait plus confiance aux féticheurs qu'au psychologue, confesse-t-il." (SEHOUÉ, 2014).

Il révélera par ailleurs qu'aux temps du sélectionneur des Éléphants, le Français Robert Nouzaret, il a été mis à l'écart au profit d'un féticheur après avoir fait un travail remarquable. Dr Segui (sociologie du sport) et Dr N'Guessan (physiologie du sport) ont fait observer qu'il est primordial que les Ivoiriens se mettent à penser pour un véritable doublement psychologique du sport en Côte d'Ivoire. Cette confession de Dr DAGROU, publiée le mercredi 5 mars 2014 par L'intelligent d'Abidjan dans son article : *Football / Dr DAGROU Ernest (Psychologue du sport) confesse: "Les Éléphants n'ont pas de psychologue"* (*L'intelligent d'Abidjan*), en dit long sur l'importance accordée aux croyances cultuelles ou magico-religieuses.

Déjà en 1992,lorsque:

"Les Éléphants de Côte d'Ivoire remportèrent leur première Coupe d'Afrique des nations (CAN) au Sénégal face au Ghana après une interminable séance de tirs au but (11-10), des membres de la

fédération ivoirienne de football et René Diby, le ministre ivoirien des sports de l'époque, révéleront plus tard que la sélection avait recouru à des féticheurs, qualifiés par le ministre de " préparateurs psychologiques ", originaires du village d'Akradio, à une heure d'Abidjan. La dizaine d'hommes en question aurait prédit la victoire des Ivoiriens ainsi que d'autres faits de jeu tout au long de la compétition", affirme (Ciyow & Gourlay, 2022).

Ces acteurs représentent le football ivoirien au plus haut niveau et leur propos renforcent l'idée de l'existence de forces occultes qui s'ajouteraient, à défaut de prendre leurs places, aux autres facteurs de performances. A y voir de plus près, leur puissance n'est pas seulement de faire gagner mais aussi de faire perdre comme ces auteurs (Ciyow & Gourlay, 2022) l'ont bien affirmé:

"Mais l'histoire ne s'arrête pas là. Ces fameux féticheurs, tous originaires de la même province que le ministre des sports, se seraient ensuite fâchés : M. Diby n'aurait pas répondu à leurs requêtes, notamment financières. Un mécontentement qui aurait valu à l'équipe nationale d'échouer lors des CAN suivantes".

Ce crédit attribué à la puissance des forces occultes est d'autant plus réel qu'au Sénégal,

"De hauts responsables de la Fédération sénégalaise sont épinglés par la Cour des comptes deux ans après la coupe du monde de 2002, soupçonnés d'avoir dépensé 90 millions de francs CFA pour bénéficier des services de marabouts". (Barbier & Lebris, 2022).

A ce rythme, ne serait-il pas mieux de lancer un appel à candidature afin de sélectionner les meilleurs profils et leur accorder des contrats de performance avec des objectifs clairs? Cela aiderait certainement le service des impôts à recouvrir des taxes, en conséquence.

Le principe d'allocation de budget aux pratiques magicoreligieuses au niveau de l'instance fédérale trouve bien sa continuité au niveau des clubs de football professionnel et amateur. Ce principe est devenu une règle au niveau des navétanes qui, d'ailleurs emploient les termes préparation psychologique, préparation mystique, ou XONS[34], pour qualifier cette rubrique.

Plus haut encore, la réaction d'un membre de l'instance suprême qui est la FIFA, sur l'incertitude de la présence de Sadio Mané au mondial Qatar 2022, renforce le crédit que les acteurs eux-mêmes, cités ci-dessus, accordent aux féticheurs. En plus du psychologue, du ministre et des membres de la fédération ivoirienne, le secrétaire général de la FIFA Fatma Samoura s'y met:

"C'est une très grande et triste nouvelle. Nous, on va utiliser nos marabouts. Je ne sais pas (si les marabouts sont efficaces), mais en tous cas cette fois-ci on va les implorer. On espère des miracles, il faut qu'il soit là." (PINTO, 2022).

Apparemment, ils ne seraient pas efficaces puis que Mané a raté Qatar 2022.

Du côté des religieux, Charles Senghor explique que l'équipe nationale de football du Sénégal pourra compter sur les religieux qui la soutiennent par des prières. C'était lors de la finale de la 32-ème édition de la Coupe d'Afrique des Nations (CAN) 2019 face à l'Algérie.

"Les footballeurs Sénégalais qui portent l'espoir de tout un peuple en attente d'un premier sacre continental peuvent compter sur les ferventes prières de leurs guides religieux." Nous attendons beaucoup de cette compétition. Par conséquent, nous accompagnons les Lions par nos prières ", explique l'Imam Diabel Kouyaté, des Hlm Grand Yoff à Dakar.

Pour ce guide religieux musulman, *le football transcende les divertissements parce qu'il s'agit dans ce cadre de patriotisme "recommandé par l'islam".* (Senghor, 2019).

Senghor (2019) rapporte que du côté de la paroisse Épiphanie du Seigneur de Nianing située à une centaine de kilomètres de Dakar, le père Roger Gomis confie:

"Naturellement, nous prions pour l'équipe et nous souhaitons vivement qu'elle remporte la coupe que le peuple Sénégalais attend depuis longtemps. Donc, nous ne pouvons pas ne pas prier pour l'équipe".

A croire que les prières n'ont pas été exhaussées dans la mesure où le résultat était défavorable. Autant les supporters de football sénégalais se sont associés en 12 -ème Gaindé et bénéficient d'une pertinence et d'un soutien auprès des autorités fédérales et de l'État sénégalais, il serait plus que légitime pour les marabouts de se regrouper autour d'une association, puis que leurs services sont reconnus, valorisés et pris en compte dans les budgets de compétitions. Elle pourrait s'appeler l'ASMF, c'est-à-dire l'Association Sénégalaise des Marabouts du Football par exemple, ou du Sport.... Il faudrait définir leur mission afin de s'assurer s'il s'agit de faire perdre ou de faire gagner.

A ce titre, les sorciers, féticheurs et exorcistes, qui sont des spécialistes en jeteurs de sors, pourraient jouer le rôle de faire perdre l'adversaire, tandis que les marabouts, voyeurs et charlatans se chargeraient de faire des pronostics précis, mais très précis et exactes, et de faire gagner. Sur cette base et dans ces conditions, certains actes posés par les acteurs sur et en dehors du terrain trouveraient une approbation cohérente. En effet, quelle compréhension devrait-on avoir lorsque El hadji Ousseynou Diouf[35], pour célébrer un but, exhibe un sous-vêtement sur lequel l'effigie d'un marabout est apposée.

Est-ce un signe de remerciement pour service rendu ou une simple reconnaissance?

Ou bien, y aurait-il une psychologie du sport à l'africaine qui échapperait au monde des novices et du perceptible?

En tout cas, cela à tout l'air d'une stratégie puis que les gourous semblent avoir accès à tous les niveaux d'intervention telle que préconisée par les psychologues du sport, c'est-à-dire, la préparation, la prévention et la réparation.

Source: wiwsport du 16 avril 2020 (10h29 GMT)

5.2.1. Le rôle de Préparation

SYLVIE TANETTE, DU journal Le Temps du samedi 13 juin 1998, dans l'interview que lui a accordée l'ancien footballeur de l'équipe nationale béninoise Mr Adolphe Ogouyon, confirme que les marabouts consultés distribuent des conseils, des amulettes, des offrandes, parfois des sacrifices d'animaux à faire. Avant le match, ils se regroupent en cercle afin d'enterrer quelque chose dans la pelouse pour que le terrain leur soit favorable.

Ogouyon affirme que pour certains matches importants, il lui est arrivé de voir 18 marabouts différents en une nuit, et ils les embarquaient avec eux lorsqu'ils jouaient à l'extérieur. D'après lui, chaque club possède un comité des sages, groupe de personnes âgées qui prospectent auprès des différents marabouts et évaluent les possibilités d'entrer en possession de tel ou tel grigri. Ces affirmations d'Ogouyon prouvent la croyance inconditionnelle aux pratiques occultes. Selon lui,

"..., le rôle sur le moral de l'équipe est certain. C'est en effet une véritable guerre psychologique qui est menée. Les joueurs se préparent, tentent de se protéger des mauvais sorts jetés par l'adversaire. Tout ceci les sécurise, ou les déstabilise. Vous n'imaginez pas le poids de certains gestes. Par exemple si quelqu'un jette un œuf pourri ou un citron dans les buts, le *goal est complètement désarçonné. On peut faire arrêter un match pour ça" (Tanette, 1998).*

C'est donc un moyen de renforcer la confiance en soi des athlètes et de déstabiliser l'adversaire. Il s'agit de faire peur à l'adversaire en gagnant la bataille psychologique de départ. Cette guerre psychologique est une stratégie accomplie par les sportifs avant le match afin d'intimider leur adversaire. Elle était pratiquée par l'équipe australienne de rugby à XIII (surnommée les Kangaroos) qui, de 1908 à 1967, effectuait avant chaque début de rencontre en Angleterre et en France, un cri de guerre. La première fois qu'il a été effectué, fut lors de leur arrivée en Angleterre, aux Tilbury Docks. Ce cri de guerre est dérivé d'un chant aborigène, originaire du Queensland. La dernière fois, que ce cri a été effectué, fut en décembre 1967, en France.

Une autre façon d'intimider est la danse HAKA, une danse traditionnelle des maoris, un peuple de Nouvelle-Zélande. Cette danse a été inventée au XIXème siècle par les chefs maori pour impressionner leurs adversaires lors de combats ou de cérémonies. Cet exercice n'est pas seulement pratiqué par les Maoris, mais aussi par les Polynésiens et les Samoans. Elle consiste à se rassembler en cercle, à effectuer des mouvements saccadés puis à sauter sur place.

Si ces pratiques sont visibles et remarquables lors des compétitions d'autres pratiques qui joueraient un rôle de renforcement psychologiques se passent dans l'ombre. Au Sénégal, il y a un phénomène appelé *"regroupement"* où les joueurs se rassemblent dans un endroit quelques heures avant un match (surtout à l'occasion des compétitions appelées les navétanes[36]). La plupart du temps, des activités mystiques s'y déroulent (bains, d'encens collectif). Des bonbons, des fruits où des sachets d'eau sont distribués aux joueurs pour effectuer des offrandes selon les directives du marabout puis de l'eau est versée devant la porte avant la sortie des sportifs.

Tous ces rituels influenceraient fortement l'état d'esprit du sportif et renforcerait sa confiance en soi. Ils peuvent aussi constituer une source de fragilisation de la confiance. Ogouyon raconte que:

"En 1978, nous disputions la coupe d'Afrique à Abidjan. Lorsque nous jouions ainsi à l'extérieur, nous n'utilisions jamais les vestiaires, de peur

que l'adversaire y ait déposé quelque chose qui puisse nous nuire. Nous étions donc sur le terrain à la mi-temps. Un employé est venu refaire le traçage du terrain et, Dieu sait pourquoi, il a commencé par notre but. Nous avons immédiatement pensé qu'il allait y jeter une poudre maléfique. Toute mon équipe s'est précipitée dans les buts pour empêcher le traçage. La police a dû venir nous déloger. Le traçage a finalement eu lieu. On a pris deux buts durant la seconde mi-temps. On s'est dit que si on avait réussi à éloigner cet employé ce ne serait pas produit" (Tanette, 1998).

Le fait d'attribuer l'échec à la puissance des pratiques mystiques de l'équipe adverse démontre. O combien ces dernières pourraient influencer l'état d'esprit. Ce serait certainement une raison suffisante de parer à toute éventualité.

5.2.2. Le rôle de Prevention

LA PRÉVENTION, DÉFINIE comme l'ensemble des mesures préventives contre certains risques, collerait bien avec le terme Wolof sénégalais appelait *"Mouslouwaay[37]"*. En effet, l'une des explications que donnent les praticiens du *maraboutage* c'est qu'il vaut mieux prendre des mesures pour éviter un ennui ou des attaques de l'adversaire sur le plan mystique (Gningue & Gueye, 2014).

Cependant, si les facteurs de performance identifiables sont basés sur l'entrainement des capacités physiques, techniques, tactiques, ainsi que sur les états psychologiques et mentales, l'arsenal de boucliers contre les attaques mystiques ont du mal à rejoindre ces facteurs par défaut de distinguer clairement les risques et les lister afin d'y remédier. Certains entrepreneurs religieux, se sont aventurés à donner un remède à différents obstacles appelés mauvais œil, manque de chance, etc. Apparemment, il n'y aurait pas un bouclier pour tout.

Ceci doit être valable aussi pour les adeptes des croyances mystiques qui ne lésinent sur aucun moyen pour se protéger, selon eux, contre les féticheurs et jeteurs de sort. Le discours semble être orienté à la fin d'une compétition et les explications sont claires en cas de victoire et très ambiguës en cas d'échec. Dans cet objectif de prévention et donc de protection, certaines équipes exigent l'implication de tout le monde dans l'utilisation de l'arsenal mystique. Cela peut entrainer des clivages dans la mesure où, au sein d'une même équipe de navétanes par exemple, constituait de joueurs d'obédience diverses, il arrive souvent que certains refusent de se laver avec le bain recommandé par un marabout avant ou à la mi-temps d'un match. En cas de défaite, les récalcitrants sont pointés du doigt pour défaut d'obtempérer. Ainsi, le rôle que devait jouer le fait religieux ou mystique, au lieu de prévenir ou protéger (selon eux) créer l'effet inverse et devient ainsi la source du problème. Afin de mieux comprendre ce phénomène, Dieng et ses collègues expliquent:

> *"Le maraboutage est largement utilisé pendant les matches de navétanes, la verbalisation des raisons des victoires comme des défaites et la perception causale des performances ne résident que très rarement et jamais exclusivement dans l'analyse technique des matchs, selon des procédés qui dans le sport sont habituellement pratiqués, comme par exemple les vidéo décryptées, repassées systématiquement aux sportifs et aux entraineurs, commentées précisément. Ainsi, le maraboutage est très convoité par les sportifs des navétanes (dirigeants, entraineurs, joueurs et supporters). Les attentes des sportifs, comme de s'assurer la victoire, se protéger, se faire remarquer ou connaître la renommée, font qu'ils s'adonnent à ces pratiques." (DIENG, DIAKHATE, & NGOM, 2019)*

5.2.3. Le rôle de Réparation

L'ÉCHEC EN SPORT ENTRAINE très souvent un sentiment de non-satisfaction et de déception, d'impuissance, qui peut provoquer un effet d'abandon ou de démotivation. En dehors de l'échec, le sport est le lieu où des conflits sont notés et engagent les athlètes entre eux, entre athlètes et entraineurs, entre entraineurs et dirigeants, ou entre dirigeants eux-mêmes, etc. Dans tous les cas, pour parler de réparation, il faudrait certainement arriver à rassembler des informations sur les problèmes, les évaluer afin de prendre les bonnes décisions.

En sport, il y a tout le temps eu des phénomènes psychosociologiques qui apparaissent et qui engendrent des forces d'attraction et de répulsion entre les sportifs d'une même équipe. C'est ce qui a amené le psychanalyste allemand,

Sigmund Freud, à affirmer que *"les liens affectifs dans le groupe rattachent les individus les uns aux autres par la notion de libido[38]"*. Tandis qu'Elton Mayo[39] conclue que: *"La quantité de travail accomplie par un individu n'est pas déterminée par sa capacité physique mais par sa capacité sociale, c'est-à-dire son intégration à un groupe"* (Mayo, 1933). Se basant sur sa théorie sur la dynamique de groupe, il affirme que: *"Les groupes ayant des normes élevées et une grande cohésion ont le plus grand impact positif, puisque les membres du groupe s'encouragent mutuellement à exceller"* (Mayo, 1945).

A ce titre, les sports collectifs exigent de la part des joueurs d'évoluer dans un climat propice à la performance. On parle aussi de solidarité, de coopération, d'aide et d'entre-aide. Souvent, des conflits sont notés dans la mise en place d'une équipe. Pour les psychologues de sport, les conflits sont nécessaires dans un groupe mais il faudra pouvoir les identifier afin de pouvoir les gérer.

D'une part, les conflits qui sont productifs se passent dans un climat coopératif où des idées créatives sont produites, les opinions librement exprimées et les buts exposés à des reconsidérations, où la prise de risques est accrue, où l'acceptation des décisions sont favorables ; ce qui augmente la cohésion du groupe.

D'autre part, les conflits destructifs créent un climat compétitif et où l'activité tourne autour du gain. Les membres ont un but individuel et cherchent à défaire leurs opposants. De plus, leur nature peut être de trois types:

5.2.3.1. Conflits de contenu:

● Ils sont issus de différences d'opinions concernant les informations ou les contenus de la tâche.

● Ils émergent dans l'étape de proposition de solutions.

● Ils tendent à élever la qualité de la décision. C'est le cas de la fédération sénégalaise de football par exemple, qui est passée des conflits de personnes, surtout avec la période Elhadji Ousseynou Diouf (vers la fin de sa carrière et au début de sa reconversion), aux conflits de contenu. L'acceptation et la diversité des opinions permettent une plus large diversité de choix dans les prises de décision.

5.2.3.2. Conflits de procédure:

● Qui sont issus de l'organisation du travail. Si certains ont besoin d'une organisation très structurée, par contre d'autres ont besoin d'un cadre de travail flexible, souple et décontracté.

5.2.3.3. Conflits de personnes:

● Ils sont liés aux aspects émotionnels des relations interpersonnelles (vexation, humiliation, affront, abaissement, etc.).

● Ils tendent à stopper la progression du groupe vers ses buts.

L'EXEMPLE DE LA FÉDÉRATION sénégalaise de basketball est épatant et semble être un cas d'école puis que les exemples sont innombrables. En effet, les 20 dernières années sont émaillées par des conflits et des faits qui ont eu le don de désacraliser le dirigeant sportif devenu très vulnérable à cause d'un management revanchard et querelleur. Les conflits de personnes au niveau de l'instance et en dehors sont devenus chroniques. Si ça ne concerne pas des dirigeants entre eux, ces conflits engagent le chef de l'instance dirigeante contre un entraineur titulaire ou ces assistants, ou contre un directeur technique national. Les responsabilités définies n'ont jamais garanti la stabilité au sein des équipes nationales. En 22 ans, au moins une dizaine de cas peut être recensée[40].

D'après les psychologues de sport, les conflits sont assez normaux dans un groupe, dans la mesure où, il est nécessaire de passer dans plusieurs phases pour construire une équipe. Cette dernière est définie comme:

"Un petit groupe de personnes, de compétences complémentaires, qui s'engagent sur un projet et des objectifs communs, adoptent une

démarche commune et se considèrent comme solidairement responsables" (Katzenbach & Smith, 1993).

Les conflits décrits ici sont inhérents aux organisations, aux groupes. Dans les équipes sportives, ils peuvent apparaitre suivant différentes phases. Bien évidemment, les pratiques magicoreligieuses adoptées par certaines équipes, si elles se réalisent à l'interne poseraient des problèmes liés aux conflits de personnes. A supposées même qu'elles joueraient le rôle attendu de vecteur de renforcement de la cohésion. Les difficultés surgissent, dans la plupart des cas, lorsqu'elles sont dirigées vers ses propres coéquipiers. Ainsi, à chaque phase de la formation d'une équipe, un certain nombre de comportement est prévisible et permettrait au psychologue de sport d'anticiper mais aussi d'identifier le problème. Ces différentes phases sont déclinées chronologiquement ci-dessous et concernent des évènements dont l'entraineur devrait s'attendre à l'arrivée d'un nouveau groupe ou la création d'une nouvelle équipe:

Phase 1: la formation. C'est une phase pendant laquelle les joueurs rejoignent le groupe. Elle représente le processus de familiarisation des membres du groupe et c'est pendant cette phase qu'on note l'apparition d'émotions relatives à la crainte de ne pas être accepté par les autres, d'être mal jugé. Ces craintes peuvent être atténuées par la participation à la cohésion du groupe.

Cependant, beaucoup de sportifs africains, sur la base de croyances, de représentations, et de préjugés, nourrissent des craintes par rapport même aux membres de l'équipe. Dans les sports collectifs, les joueurs doivent passer par l'épreuve de sélection. Les joueurs n'arrivent pas sur les mêmes bases et n'ont certainement pas les mêmes chances. Ainsi, si les uns sont assurés de rentrer dans le schéma de l'entraineur (les princes), par contre, d'autres doivent se battre pour assurer leur place. C'est pour cette raison, que certains, en dehors d'avoir leur talisman et leur produit pour se protéger des forces maléfiques de toute sortes, cherchent des boucliers contre leur concurrent direct ou même indirect. C'est une sorte de combat interne pour les princes qui cherchent à dominer en attirant les faveurs de l'entraineur ou surtout être le meilleur dans tous les plans (baraka[41]).

Phase 2: phase de rébellion. C'est une phase pendant laquelle il faut s'attendre à de la révolte de la part de certains joueurs. C'est le processus de prises de positions conflictuelles. Et il faudrait s'attendre à l'expression des émotions relatives à la colère, à la peur d'être dominé par les autres ou de se soumettre. C'est une phase critique pour certains joueurs qui se réfugient sur les recommandations de leurs conseillers (amis, familles, anciens coachs) mais surtout de leur marabout pour gérer la situation. Souvent, ils n'hésitent point à éliminer leurs adversaires directes lorsque ces derniers se révèlent grâce à cette phase de rébellion.

Phase 3: la coopération. C'est une phase où les joueurs cherchent à collaborer. Les joueurs rentrent dans un processus de confrontation, comparaison, rapprochement, etc., aux problèmes des autres et offrent leur disponibilité affective et social, sur et en dehors du terrain. En effet, il faudra permettre aux uns et aux autres d'exprimer leurs différences, leurs écarts, sur une base organisée et hiérarchisée. L'émotion souhaitée est le contrôle de soi. Pendant cette phase, il est commun de voir des sportifs devenus " amis " partager des expériences sur le plan mystique et arrivent même à partager le même marabout ou guide religieux. Sûrs de leurs secrets ou bon plan mystique, ils sont capables d'embarquer l'entraineur ou toute une organisation à accepter cet entrepreneur conseiller et religieux.

Phase 4: la performance. C'est le processus des attractions affectives ou des tandems (pairs) et même des trios se créent. Il faut s'attendre à des émotions de sociabilité (amabilité, courtoisie) mais aussi de repli sur soi pour les joueurs qui se sentent isolé. Cela peut entrainer chez certains une situation de confiance et de méfiance pour d'autres.

Phase 5: la réciprocité. C'est le processus de la question de responsabilité et d'autonomie. Soit on se sent capable de dominer soit on rentre dans un état de soumission/abandon sont les émotions prévisibles.

Phase 6: la résolution. C'est le processus d'affiliation des membres du groupe. Certains montreront un engagement sans faille, tandis que d'autres ont tendance à se désengager, à abandonner. Les émotions qui seront exprimées seront l'allégresse pour ceux qui se trouvent dans le schéma général et qui seront satisfaits de leurs attentes, tandis que d'autres vont vivre de la tristesse, de la dépression et de l'anxiété par défaut d'intégration et de se reconnaître dans le projet.

A chaque phase correspond l'apparition d'émotions favorables ou défavorable et qui peut entrainer au pire des cas de la frustration, de la peur ou d'un manque de confiance. Si en amont le joueur avait contracté les services d'un marabout et que cela marche pour lui, il y a de fortes chances qu'il va revoir le marabout; au cas contraire il va certainement en chercher un autre.

La réparation donc c'est lorsque, dans la plupart des cas, le sportif sollicite des services d'un marabout pour corriger le cours des choses (destin).

Il arrive aussi que l'action soit dirigée vers l'adversaire ou vers la performance sous forme de stratégie. Ce qui montre qu'une approche psychologique orientée vers la performance sportive est bien présente dans le monde du sport africain et d'ailleurs.

Cette approche est vraisemblablement stratégique dans la mesure où des faits et actions liées aux pouvoirs occultes ont entrainé plusieurs fois des cas de violence dans les stades. En effet, pendant les championnats nationaux et les championnats populaires de football (navétanes), il arrive que des personnes tentent de jeter des choses (urine, œufs, etc.) dans les buts de déstabiliser leurs adversaires sur recommandation d'un marabout. Cela créait des troubles incontrôlables. Très souvent, le gardien de but met des choses visibles (bouteille) ou enterrées (petit sac en plastique, petites cornes, papier, gris-gris, etc.) dans ses propres buts en guise de "*protection*".

Ces actes pourraient créer un état mental fort ou faible selon le camp où s'effectue l'activité. Le but est de semer le doute chez l'adversaire ou de renforcer la confiance en soi. Il arrive d'entendre des supporters dire que "*les buts sont fermés mystiquement, il faut verser de l'urin*"- le contact avec l'urine étant considéré comme un signe d'impureté ne permettant pas d'effectuer la prière chez les musulmans. Si l'adversaire arrive à marquer un but après avoir jeté de l'urine dans les buts, cela va, certainement, renforcer la thèse que les buts étaient "*fermés mystiquement*"

Ainsi, d'un côté, les pratiquant d'activités mystiques jouent un rôle certain dans le sport. S'ils créent un système générateur de ressources, sommes toute informelle, et apportent un lot d'avantages en renforçant la confiance en soi des postulant, autant, leur crédibilité semblent heurter les consciences des rationalistes qui refusent de rentrer dans leur monde fictif et intangible. Ainsi, peu importe la perspective qu'on lui attribue, force est de constater que leur intangibilité et les pronostics déjoués constituent la source de leurs limites puis que les pratiques magicoreligieuses ont souvent provoqué de l'incrédibilité, scepticisme, de la défiance et de la méfiance. D'ailleurs, les conseils de ces sorciers ne sont pas toujours très bons selon Adolphe Ogouyon:

"Le marabout peut ordonner de rester éveillé jusqu'à 2 heures du matin, de peur que l'esprit malin ne vienne nous visiter. Les joueurs veillent alors qu'ils auraient besoin de repos. Je me souviens aussi que l'on nous faisait des scarifications, et toute l'équipe utilisait la même lame de rasoir. Vous imaginez le danger. Cela influence considérablement notre vision du jeu. Pour un Africain, si une équipe perd, c'est que ses marabouts n'ont pas été assez puissants". (Tanette, 1998)

Cette anecdote ci-dessous aiderait à renforcer ces propos:

Lors de la coupe d'Afrique de basketball de 2013 qui s'est tenue à Abidjan, en Côte d'Ivoire, un responsable de la fédération sénégalaise de basketball s'est entretenu avec le capitaine pour lui demander de faire des scarifications afin de battre le Nigeria en ¼ de finale. Le capitaine en a informé le coach qui a tout de suite refusé pour préserver l'intégrité physique et la santé des joueurs. Le responsable avait promis de renvoyer le coach en cas d'échec. Malgré tout, l'équipe est passée en ½ finale et a gagné la médaille de bronze sans que les joueurs ne soient scarifiés.

5.3. De la nécessite de l'adoption de la psychologie du sport en Afrique

POUR faire adopter la psychologie du sport et la performance en Afrique, cela nécessite une approche adaptée à la culture et aux réalités locales. Sous forme de recommandation, certaines actions devraient être entreprises auprès des entraineurs, des athlètes, des psychologues de sport, et des organisations sportives africaines:

• D'abord il faut former des psychologues du sport locaux afin de répondre aux besoins spécifiques de la région. Ces psychologues peuvent travailler avec les athlètes et les entraîneurs pour les aider à surmonter les obstacles psychologiques qui peuvent entraver leurs performances.

• Ensuite, sensibiliser les entraîneurs et les athlètes sur l'importance de la psychologie du sport et de la performance dans leur pratique en effectuant des séminaires et conduire des ateliers pour leur montrer comment cette discipline peut aider à améliorer les performances sportives.

• Après, il s'agit de développer des programmes d'entraînement qui pourraient être conçus afin d'aider les athlètes à développer des compétences psychologiques telles que la confiance en soi, la gestion du stress et la concentration. Ces programmes peuvent être intégrés dans les programmes d'entraînement réguliers pour assurer une pratique complète.

• Puis encourager la recherche sur la psychologie du sport et de la performance qui est encore limitée en Afrique. En effet, la recherche locale peut aider à mieux comprendre les besoins spécifiques et à développer des approches efficaces pour améliorer la performance sportive. Malgré les efforts faits au niveau des instituts africains de recherche et des universités, c'est encore très insuffisant.

• Enfin, il faudra initier une collaboration avec les organisations sportives locales pour aider à introduire la psychologie du sport et de la performance dans la région. Les organisations sportives peuvent fournir des ressources et des installations pour les programmes d'entraînement et les séminaires, ainsi que des moyens de diffuser les informations aux athlètes et aux entraîneurs.

Ces différentes idées, entre autres, pourraient constituer un moyen de promouvoir la discipline de la psychologie du sport. Ainsi, son adoption devra passer par la sensibilisation des entraîneurs et des athlètes, la formation des psychologues du sport locaux, le développement des programmes d'entraînement, l'encouragement de la recherche et la collaboration avec les organisations sportives locales.

6. Créer une proximité par l'approche de la théorie des attributions.

L'une des meilleures façons de s'imprégner des réalités intrinsèques du monde cultuel et culturel de la culture sénégalaise est de rentrer en contact avec la lutte avec frappe. En effet, si les gourous et marabouts y bénéficient d'une certaine légitimité par leur stratégie d'intimidation et par le fétichisme, le psychologue du sport devra, par une approche scientifique, démontrer la pertinence de sa présence. Une incursion dans ce monde riche de savoirs et de savoir-faire, qui est quand même à part (celui de la lutte), est indispensable mais devra rendre un verdict accessible et qui favorise une reconnaissance. Bien sûr, le psychologue de sport doit s'attendre à être rejeté (le pire serait de tomber sur 4 appuis) car vu comme un usurpateur (excusé mon pessimisme) puis que le rationnel ici ressemblerait à une mouche dans un verre de lait. L'étude suivante sonne comme une dédicace aux acteurs de ce monde pour qui le résultat appartiendrait d'abord à l'irrationnel.

6.1. Comment aider les lutteurs à mieux communiquer ?

A QUOI LE LUTTEUR ATTRIBUE-t-il ses résultats après une compétition? Essai de détermination des attributions causales spontanées chez les lutteurs sénégalais.

Le cadre dans lequel se déroule cette étude est la lutte sénégalaise qui est constituée de plusieurs disciplines dont la lutte avec frappe, la lutte simple, la lutte olympique. Le choix est porté sur la lutte avec frappe qui est une activité physique purement sénégalaise qui oppose deux lutteurs dans un combat à mains nues où les coups de points sont permis; les combattants cherchent à mettre l'adversaire à terre (4 appuis) ou par un KO. Les lutteurs ne sont pas catégorisés. En 2018, le ministère des sports du Sénégal a recensé, selon M. Mbodj (2018, p.1) trois mille six cent soixante-dix-neuf (3679) lutteurs licenciés au Sénégal.

Ils sont répartis ainsi: *"Neuf cent trente-huit (938) licenciés en lutte avec frappe, deux mille sept cent trente (2730) licenciés en lutte simple, neuf (9) licenciés en lutte olympique et deux (2) licenciés en wrestling. Le nombre d'écurie est de cent soixante-quatre (164)"*.

Les combats sont proposés par des promoteurs[42] avec l'accord d'un Comité National de Gestion de la lutte (CNG) installé par le ministère des sports. Un élément important est l'aspect culturel qui accompagne la lutte avec frappe ainsi que l'appartenance des combattants à des "écuries" qui font office de clubs de lutte. L'environnement qui règne dans ces écuries aurait un effet contagieux sur le comportement d'un lutteur si on considère les propos similaires de début de discours, peu importe le lieu et l'événement, qu'ils prononcent. Membre d'une écurie pour la plupart des cas, le lutteur est entouré de *managers* (anciens lutteurs), d'entraineurs (anciens lutteurs), de marabout (en général un lutteur reconverti servant de relais pour le marabout).

Cet environnement quasi identique dans la plupart des écuries pourrait influencer leurs manières de marcher, de s'habiller, de penser et de parler. Ce comportement pose le problème du conformisme puisque presque tous les discours (rendre grâce au début et remercier à la fin) se ressemblent et sont redondants. A en croire que se démarquer des autres serait perçu comme une trahison et le discours reflète ce modèle de communication dans les écuries. Ce qui nous a amené à vouloir comprendre comment les lutteurs avec frappe perçoivent-ils leurs échecs et leurs réussites ? La réponse à ces questions nous permettra de justifier notre position qui consiste, à priori, à croire que les lutteurs avec frappe expliqueraient la réussite par des facteurs internes (efforts, intelligence), et l'échec par des facteurs externes (manque de chance, difficulté de la situation, maladie, etc.).

La problématique de la réussite et des échecs dans le monde du sport a suscité des interrogations importantes sur l'une des raisons mêmes de la pratique des activités physiques et sportives et précisément la lutte avec frappe. Ainsi, une des raisons, dont la performance, nous a amené à nous pencher sur le problème fondamental des explications données pour justifier une prestation chez les sportifs en général. Dans cette étude, nous avons exploité la déclaration des lutteurs après un combat de lutte avec frappe afin d'expliquer les antécédents (B. Weiner, 1985, p.67) qu'ils considèrent déterminants dans leur accomplissement en termes de victoire, d'échec ou de match nul.

En effet, après un combat de lutte avec frappe terminé par un échec, le lutteur peut s'auto-flageller ou pointer du doigt le comportement de l'écurie[43] adverse, les supporters, l'arbitre, l'arène, le promoteur ou même les journalistes. A ce titre, plusieurs données pourraient être impliquées et affecteraient "les attentes des sportifs sur leurs succès ou échecs futurs et leurs réactions émotionnelles" (S. J. H. Biddle et al., 2001, p.91) ; pour E. Mc Auley (1993, p.3), "le fait d'attribuer le résultat d'une compétition à un certain type de facteur stable, interne et contrôlable a été relié aux possibilités de succès dans le futur". Ce qui supposerait que l'attribution d'un résultat aux facteurs instables, externes et incontrôlables pourrait réduire les possibilités de succès dans l'avenir.

Cette étude s'inscrit dans un contexte particulier puisque la lutte avec frappe, n'offre presqu'aucune référence dans le domaine de la recherche sur le champ psychologique encore moins sur les attributions. Ce constat justifierait aussi cette étude car cette discipline intéresse une grande partie de la population dans ses aspects culturels et socio-économiques. Comment aider les lutteurs à mieux s'entrainer? Comment aider les entraineurs à mieux entraîner les lutteurs? Autant de questions dont les réponses apporteraient une meilleure compréhension des raisons d'un échec ou d'une réussite de la part des lutteurs. Ainsi, nous aborderons d'abord la méthodologique employée pour recueillir les attributions. A ce niveau, nous décrirons la méthode d'analyse représentée par le SCLACS, inspiré par le LACS[44] de T. D. Stratton et al. (1986, p.4), que nous avons employés dans le processus d'analyse du discours des attributions causales spontanées chez les lutteurs. Puis, les résultats analysés précèderont la discussion où les tendances comparatives, prévisionnelles et explicatives des types d'attributions utilisées par les lutteurs sont expliquées. Le cadre d'étude offre des données spontanées et font ressortir la nécessite de les organiser afin de tirer le maximum d'information. Pour ce faire, nous allons présenter dans cette partie les données qui caractérisent la population de l'enquête, l'outil de mesure, la procédure d'extraction et enfin le codage.

6.2. Population de l'enquête

LES DONNÉES DE L'ENQUÊTE sont composées de vingt-cinq (25) lutteurs de lutte avec frappe (±27 ans) et seize (16) combats. Parmi les vingt-cinq (25) sujets, cinq (5) d'entre eux ont plusieurs fois été scrutés. Les discours sont collectés à partir des émissions télévisées sénégalaises (Bantamba, Jonganté, Guewbi, Lamb Ji, etc.)[45]. Cette base de recherche a été renforcée par la chaine YouTube. La durée qui sépare le recueil des données (discours) et l'événement n'altère en rien la spontanéité du discours du lutteur car les informations sont conservées pendant longtemps et le "journaliste-reporter" n'a pas attendu longtemps avant de poser sa question. Nous considérons que le processus de recueil de données se fait immédiatement après le combat et l'interviewer n'intervient pas dans le processus ce qui enlève le poids de l'interférence. D'après J. S. Uleman et *al.* (1989, p6), l'interférence devient spontanée sous certaines conditions: "que l'attribution ne soit pas suggérée par les instructions expérimentales; que les sujets ne soient pas informés sur leur intention de formuler des inférences". A noter que 90% des lutteurs impliqués ont répondu aux questions des journalistes-reporters sportifs quelques minutes après la fin du combat. Seul 10% des discours ont été recueillis hors de l'arène, ce qui constitue une limite de notre étude par rapport à la spontanéité. Ainsi, nous avons fait le choix des combats de lutte dont la prise en compte ne dépendait que de la disponibilité de l'information. Dans le processus de randomisation des sujets, la variabilité et le niveau d'habileté sont les critères retenus pour analyser les combats.

6.3. L'outil de mesure

SUR PLUSIEURS ÉTUDES portant sur les attributions causales en rapport avec le sport, le CDSII (causal dimension scale II) a servi de questionnaire (tableau 2). A noter que les réponses ont été le plus souvent orientées vers le résultat et bien après l'événement. Cependant, on peut citer quelques recherches mettant en exergue la portée des attributions causales spontanées (R. Hassin et al., 2002 ; B. Weiner, 1985b ; B. Winter et al., 1984).

Tableau 9 : liste de quelques outils de mesure des attributions et leurs abréviations

Chercheurs	Dénomination	Abréviation	Année
Hanrahan et al	Sport attributional style scale	SASS	1989
Tenenbaum et al	Wingate sport achievement responsibility scale	WSARS	1984
McAuley et al	Causal dimension scale II	CDSII	1992
Fontayne	Échelle de mesure des attributions causales	EMAC	2003

Au vu de ces différents outils utilisés au fur et à mesure des années, nous pouvons affirmer que l'étude des attributions semble difficile puisqu'elles se heurtent aux processus mentaux faisant appel à la conscience, aux cognitions intimes presque inaccessibles. Ainsi, les questionnaires ne permettent souvent pas une exploitation à fond. Cependant, le LACS propose une méthode de codage des attributions qui offre la possibilité d'extraire des données qualitatives quelle que soit la population étudiée, et en situation naturelle, c'est-à-dire non expérimentale. Ainsi, pour analyser les données de l'étude, nous avons d'abord extraits les attributions avant de passer au codage.

6.4. Extraction des attributions

APRÈS UN COMBAT DE lutte avec frappe, il n'y a pas d'ambigüité si le lutteur déclare clairement qu'il a perdu parce qu'il n'était pas préparé, par contre s'il dit par exemple qu' " il a perdu parce qu'il avait mal au dos " la nuance est palpable puisqu'on ne voit pas de lien dans la déclaration même si on voit que la douleur au dos pouvait expliquer la défaite. Les attributions causales peuvent apparaître de manière confuse par exemple sous la forme du conditionnel: "si on avait repoussé le combat encore d'un mois j'aurais pu le battre". Sur cette base, nous supposons que l'extraction est fastidieuse puisque toutes les attributions ne sont pas décodables et ne garantissent pas la perception exacte du lutteur. C'est à ce titre que T. D. Stratton et al. (1986, p.4) proposent d'extraire et de coder séparément chaque attribution par paragraphe ou par phrases. Leurs suggestions nous ont amené à séparer le résultat de la cause. Cette démarche nous a permis d'identifier le résultat " il a perdu son combat " et de lister les différentes causes : 1- il était épuisé, 2- il avait des maux de ventre. Nous avons différencié (T. D. Stratton et al., 1986, p.4) ces deux éléments en soulignant la cause, en insérant une flèche pointant la direction du résultat (selon si le résultat suit ou précède la cause). Chaque attribution est ensuite numérotée : " C'est un ensemble de choses qui explique ma défaite: # (1) mon manque de condition physique, # (2) mes blessures à la jambe, # (3) les arbitres".

6.5. Le codage

DANS CETTE ÉTUDE, NOUS utilisons un codage (tableau 3) portant sur trois éléments : le speaker[46], l'agent, le Target[47]. Le speaker correspond à celui qui énonce l'attribution (par exemple le lutteur) ; l'agent, correspond à la personne ou à l'entité responsable du résultat obtenu (j'ai raté mon " galgal ") ; le Target renvoie à la personne ou à l'entité mentionné dans le résultat (" le sable était mouillé "). Pour simplifier le codage, des catégories sont déterminées au préalable: un numéro est attribué à chaque personne différente ou chaque entité. D'après Villemain et *al* (2005, p.278), ce type de codage a plusieurs intérêts: " il permet de relever le nombre de fois où le speaker se considère comme étant l'agent de la cause et le nombre d'agents différents mis en cause par un speaker ainsi que le nombre de fois où il impute la faute à un même agent. Pour Villemain et *al* (2005, p.278), cette procédure de codage permet de différencier si le Target est associé aux résultats positifs ou négatifs. Le fait de dissocier le speaker, l'agent et le Target est une des particularités du LACS. Dans l'exemple où le lutteur parle à la presse sur sa prestation après le combat, " *j'ai perdu parce que j'ai raté mon galgal à cause du sable mouillé* ", le **lutteur** est le speaker, le *galgal*[48] est le Target et le *sable mouillé*, l'Agent. Ainsi, dans cette étude, nous tenons donc compte du codage des attributions en donnant à chaque dimension un des trois codes (0), (1), (2):

D'abord pour la dimension de la stabilité les causes peuvent être codées stables (1) ou instables (0). Si les codeurs ne peuvent pas réellement se positionner, ils attribueront le code (2). Les causes stables renvoient à celles dont l'influence se poursuit sur les résultats futurs. Ces causes ne changent pas dans le court terme. Quant aux causes instables, elles correspondent à des facteurs transitoires, qui n'ont aucune influence dans le futur Villemain et *al* (2005). Voici quelques exemples extraits du champ sportif, expliquant le résultat négatif d'un combat de lutte: "*Je ne pouvais pas l'atteindre par des coups, mon adversaire était beaucoup plus grand que moi*". Ici, la cause est stable, puisqu'il s'agit d'une caractéristique personnelle (la taille) qui ne changera pas dans un court terme. Si l'individu rencontre à nouveau le même lutteur, il sera confronté au même problème de taille. Voici un exemple de cause instable: "*Je n'ai pas bien lutté parce que j'avais mal à la tête en rentrant dans l'arène.*

Ensuite concernant les locus de causalité (Interne/Externe), les causes peuvent être codées internes (1) ou externes (0). Si les codeurs ne peuvent pas réellement se positionner, ils attribueront le code (2). Les attributions internes renvoient à des causes internes à l'individu concerné, les causes externes décrivent des caractéristiques d'autres personnes ou de circonstances. Une des caractéristiques du LACS est de pouvoir coder les attributions sous trois angles : celui du speaker, de l'agent et du Target. C'est le cas pour cette dimension, puisque trois personnes différentes peuvent être impliquées, comme dans l'exemple où le lutteur s'exprime après le combat "*j'ai raté mon galgal*[49], *le sable était mouillé*". Dans ce cas, l'attribution est interne au speaker ou l'agent (le lutteur), interne au Target (galgal).

Enfin pour le locus de contrôlabilité (Contrôlable/Incontrôlable), les causes peuvent être codées contrôlables (1) ou incontrôlables (0). Si les codeurs ne peuvent pas réellement se positionner, ils attribueront le code (2). À nouveau cette dimension prend en compte les trois perspectives possibles : le speaker, le Target et l'agent. La contrôlabilité renvoie à l'influence que l'individu peut avoir sur le résultat sans effort. Dans la mesure où le résultat est inévitable, l'attribution est incontrôlable (" j'ai mal lutté, j'étais malade "). Dans l'exemple " *j'ai raté mon galgal, le sable était mouillé* ", la cause est incontrôlable par le speaker (le lutteur), par le Target (le galgal), et par la nature de la cause ou le contexte (sable mouillé).

Tableau 10 : exemple de codage

Numéro de l'attribution	J'ai perdu mon combat (Target ou échec personnel)	J'ai raté mon Galgal (Cause)	Le sable était mouillé (agent de la cause)
Speaker : (le lutteur)	1	1	1
Agent : j'ai raté mon galgal	1	1	0
Target : j'ai perdu le combat	2	1	0
Interne (1) /externe (0) au speaker	1	1	0
Interne (1) /Externe (0) à l'agent	1	1	0
Interne (1) / Externe (0) au Target	1	1	0
Contrôlable (1) /Incontrôlable (0) par le speaker	1	1	0

6.6. Résultats

ILS PERMETTENT DE RELEVER cinquante-trois (53) facteurs (attributions spontanées) énoncés au cours des seize (16) combats (tableau 4). L'exploitation de la déclaration des lutteurs montrent que les six facteurs étudiés se répartissent de manière irrégulière. Si l'apparition de certains facteurs est plus marquée pour les facteurs incontrôlables, externes et instables (respectivement 32.08%, 28.30 et 26.42%), elle l'est moins au niveau des facteurs internes, contrôlables et stables (respectivement 7.54%, 3.78% et 1.88%).

Tableau 11 : pourcentage des tableaux cités

Locus	Nombre de fois citée	%
Facteurs externes	15	28.30
Facteurs internes	4	7.54
Facteurs contrôlables	2	3.78
Facteurs incontrôlables	17	32.08
Facteurs instables	14	26.42
Facteurs stables	1	1.88
Total	53	100

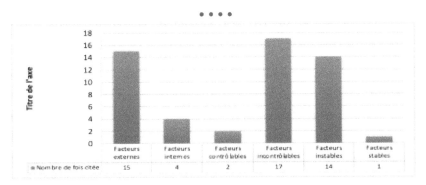

GRAPHIQUE 1: HISTOGRAMME de fréquence des facteurs cités par les lutteurs

Tableau 12: types d'attributions après un succès

Année combat	Combats	Vainqueur	Justifications internes	Justifications Externes
2014	Ama Baldé (AB) vs Malick Niang (MN)	(AB)	(AB) Talent, niveau, courage	(AB) Dieu, Cheikh Ibra Fall, parents
2012	Balla Gaye (BG) vs Modou Lo (ML)	(BG)		(ML) Destin
2013	Balla Gaye (BG) vs Tapha Tine (TT)	(BG)	(BG) Force, jeunesse	(BG) Marabout,
2012	Zoss (Z) vs Boy Niang (BN)	(BN)	(Z) Stratégie, travail	(Z) Gain,
2014	Balla Gaye (BG) vs Bombardier (B)	(BG)		(BG) Dieu, marabout, lieu d'habitation
2011	Balla Gaye (BG) vs Tyson (T)	(BG)		(BG) Prières
2012	Mbaye Gueye (MG) vs Pape Konaté (PK)	(MG)		(MG) Soutien de son entourage
2012	Gris bordeaux (GB) vs Baye Mandione (BM)	(GB)		(GB) Préparation, investissement
2011	Pakala (P) vs Bismi Ndoye (BN)	(P)		(P) Dieu,
2012	Eumeu Séne (ES) vs Lac de Guer 2 (LG)	(ES)		(ES) Dieu
2012	Tapha Tine (TT) vs Bombardier (B)	(TT)		(TT) Soutien, prières
2019	Modou Lo (ML) vs Eumeu Séne (ES)	(ML)		(ML) Dieu, régularité à la compétition
2010	Gouygui (GG) vs Mbaye Diouf (MD)	(GG)		(GG) remerciements

Tableau 13: types d'attributions après un échec

Année	Combats	Perdant	Justifications internes	Justifications Extern
2012	Balla Gaye (BG) vs Yekini (Y)	(Y)	(Y) Fatigue	(Y) Problèmes mystiques
2012	Zoss (Z) vs Boy Niang (BN)	(BN)		(BN) Arbitres
2014	Bombardier (B) vs Balla Gaye (BG)	(BG)	(BG) Maladie,	(BG) Destin
2011	Balla Gaye (BG) vs Tyson (T)	(T)	(T) Dieu	
2011	Mbaye Gueye (MG) vs Pape Konaté (PK)	(PK)	(PK) Erreurs techniques	
2011	Tapha Tine (TT) vs Elton (E)	(E)		(E) Mauvais jour
2019	Thiape sa feeling (TSF) vs Diégui Siraate (DS)	TSF		(TSF) Pleures des femmes

6.7. Analyse

IL EST ADMIS QUE L'ÊTRE humain cherche à expliquer les situations qu'il vit, il attribue des causes aux évènements auxquels il est confronté et diverses émotions résultent de ces attributions causales. Le sportif ne fait pas exception à la règle. Il attribue des explications causales aux évènements auxquels il est confronté et, selon le type d'attributions qu'il fait, il ressent diverses émotions qui viennent affecter soit positivement, soit négativement ses attitudes. De nombreux chercheurs ont contribué au développement de ces théories pour qui les attributions causales influenceraient la performance sportive (B. Weiner, 1985, p.571). Selon Fontayne et *al* (2003, p.61), les attributions tendent à démontrer comment les personnes expliquent leurs succès ou leurs échecs. Cette vision de Heider (1958), étendue et popularisée par Weiner (1985, p.549) soutient que des milliers d'explications de succès et d'échecs peuvent être regroupées en quelques catégories possibles. Sur cette lancée, Gould et al. (2007, p.11) considèrent que les causes (interne et externe) les plus élémentaires peuvent être classées en facteurs de stabilité (stable et instable) et en facteurs de contrôle (contrôlable et non contrôlable). Ils affirment qu'un sportif peut attribuer son échec ou son succès à une variété de raisons. Ces dernières sont appelées attributions. Selon B. Weiner (1985, p.565):

● La dimension "Locus de causalité" concerne le siège de la cause : la cause est perçue interne ou externe au sujet. Cette dimension différencie les causes propres à la personne, les causes internes comme l'intelligence, la beauté physique, la personnalité, etc. et les causes extérieures à la personne, les causes externes comme la difficulté objective d'une tâche. Il faut aussi noter des causes qui sont internes, telles les aptitudes des lutteurs, l'effort qu'il fournit pour réaliser une tâche, etc. et des causes externes comme la difficulté d'une tâche, l'aide ou l'absence d'aide des autres, la chance, etc.

● La dimension "Stabilité" renvoie à la régularité temporelle des causes de succès et d'échecs: la cause perçue varie (instable) ou non (stable) à travers le temps.

● La dimension "Contrôlabilité" évoque le contrôle que le sujet peut exercer sur la cause : la cause perçue est contrôlable ou incontrôlable (par soi ou les autres).

Tableau 14 : les dimensions causales de la taxonomie de B. Weiner (1979, 1986)

	Interne		Externe	
	Stable	Instable	Stable	Instable
Contrôlable	Seuil de la douleur	Effort	Influence de la personnalité	Support des autres
Non Contrôlable	Aptitudes (arts	Maladie (grippe)	Difficulté d'une tache	Chance

● Le locus de stabilité: Dans cette étude, les lutteurs ont attribué leurs résultats à une cause stable qu'une fois (1.88%) et 14 fois (26.42%) à une cause instable. Lorsqu'un individu attribue un résultat à une cause stable, c'est qu'il s'attend à ce que ce même résultat se reproduit si la situation se représente. Par exemple, un lutteur perd un combat face à un adversaire plus fort et pense que sa défaite est due à la malchance. Il fournit donc une cause externe, incontrôlable et instable. A vrai dire il n'a aucun contrôle sur le phénomène d'autant plus que la malchance est un élément subjectif, une perception, " un ensemble de circonstances défavorables dues au hasard et qui portent tort à quelqu'un ". Comment pourrait-il agir s'il considère que c'est la raison de son échec.

● Le locus de causalité: il distingue les causes internes (7.54%) comme le talent, l'effort, aux causes externes (28.30%) comme la difficulté de la tâche, l'environnement, etc. Lorsqu'un sportif gagne et attribue son résultat à une cause externe, il ne se sent pas à l'origine de l'accomplissement. Mais s'il perd et attribut sa défaite à un manque d'habileté, la cause qu'il fournit est interne et sous-entend ainsi qu'il pourra remporter le prochain combat s'il travaille cette faiblesse qui ne dépend que de lui-même. Ce type d'attribution à un effet sur l'augmentation de la fierté ou la honte.

● Le locus de contrôle. Dans cette présente étude, les résultats montrent que 32.08% représentent les facteurs incontrôlables.il se défini comme la tendance que les individus ont à considérer que les événements qui leurs arrivent sont le résultat de leurs actions, ou au contraire, qu'ils sont le fait de circonstances dont ils n'ont aucune influence. Un facteur contrôlable (3.78%) augmente la motivation car le sportif croit fortement à l'existence d'un lien entre son activité et sa performance. Le lieu (locus) de contrôle est une dimension psychologique faisant référence en la croyance d'une personne en sa responsabilité vis-à-vis des événements qui lui arrivent. Les lutteurs qui font preuve d'un contrôle interne tendent à penser que leurs comportements influencent leurs résultats. Cependant, ceux dont le contrôle est externe sont enclins à attribuer leurs résultats à des forces extérieures telles que la chance, le destin et autrui (marabout par exemple).

L'analyse des résultats montrent ainsi que le discours est marqué par des facteurs de contrôlabilité (contrôlables, incontrôlables), des locus (externes, internes), et des facteurs de stabilité (instables, stables) et tend à expliquer les accomplissements par le manque de chance, le marabout[50], la difficulté de la situation, le talent, l'intelligence, la morphologie, l'effort, l'entrainement, la maladie, la chance, la filiation ou la généalogie, entre autres.

6.8. Discussion

DANS CETTE ÉTUDE, LES résultats confirment nos affirmations de départ qui stipule que les lutteurs expliquent généralement leurs résultats par des attributions causales externes, incontrôlables et instables. A vrai dire, les attributions sont diverses et tendent à montrer que la responsabilité du lutteur sur sa victoire ou sur sa défaite est impliquée uniquement après celle des parents, de son écurie, des marabouts et de leurs supporters.

Un lutteur gagne un combat et attribue le succès (Tableau 6):

- À un facteur stable, c'est-à-dire son talent, son habilité technique ou à un facteur instable comme la chance;

- À une cause interne comme l'effort fourni dans les deux dernières minutes ou à une cause externe comme la faiblesse de niveau de son adversaire;

- À un facteur qu'il peut contrôler comme son plan ou stratégie de combat ou un facteur qui est hors de son contrôle comme le manque de condition physique de son adversaire par exemple.

Un lutteur peut perdre un combat et attribue l'échec (Tableau 6):

- À un facteur stable comme le manque de talent ou à un facteur instable comme la maladie;

- À une cause interne comme des douleurs au dos ou à une cause externe comme l'arbitre;

- Et enfin à un facteur qu'il peut contrôler comme la technique ou à un facteur hors de son contrôle comme les problèmes mystiques.

Dans d'autres disciplines sportives comme les sports d'équipes, on est tenté de comparer les attitudes des sportifs à celles des lutteurs même si ces dernières sont plutôt orientées vers le discours. Dans une discipline comme le football, on remarque certaines formes d'attributions qui ne portent pas sur le discours mais sur le comportement. En effet, certains faits remarquables et souvent remarqués, montrent un attaquant qui rate un but immanquable (seul devant un but sans gardien par exemple) et porte intensément son regard sur ses chaussures et sur son public, comme s'il voulait désigner les chaussures pour responsables. Au niveau du basketball, on voit fréquemment des joueurs rater un panier facile (seul sous le panier sans défenseur) et après s'essuient les mains sur leurs shorts ou sur leurs maillots de manière à ce que le public comprend que ce n'est pas de leur faute mais celle des mains mouillées.

La lutte avec frappe est une activité physique et sportive qui évolue dans un contexte particulier dans le sens où elle subit des influences culturelles sénégalaises multiples (ethnocentré, pratique magico-religieuse, etc.). Cependant, les lutteurs avec frappe y sont perçus comme des privilégiés malgré leur niveau d'instruction bas, puisque seul 2% des sujets ont atteint l'école primaire dans un pays où le taux d'alphabétisation est de 64,8% chez les hommes âgés de plus 15 ans (Indexmundi, 2020, p.1). Le sportif en général est influencé par les causes auxquelles il attribue ses résultats. La théorie des attributions permettait de comprendre le phénomène et suggère des pistes d'actions pour aider les lutteurs à réussir. La question revient donc à cerner le problème par l'angle de la conscientisation en expliquant aux athlètes l'importance de l'effet des attributions sur leur comportement. D'où la nécessité d'inclure, dans le cadre du développement de l'athlète, des interviews ou entretiens afin de dégager le profil psychologique de l'athlète. Ce dernier mettra en évidence les points forts et les points faibles sur lesquels l'entraineur (psychologue, s'il en a) pourra s'appuyer pour ajuster le plan comportemental de l'athlète. Parce que dans le cadre de la détection de talent ou même d'une simple sélection pour une compétition donnée, un discours portant sur les causes externes, non contrôlables et instables pourrait montrer un manque de confiance en soi, une faible estime de soi et même un manque de motivation chez l'athlète.

6.9. Conclusion

CETTE ÉTUDE A DÉMONTRÉ l'importance des attributions sur les attentes et la motivation des sportifs à partir de plusieurs facteurs. Dans cette étude, nous avons mis en exergue les explications de certains lutteurs sur les raisons de leurs réussites ou de leurs échecs. Nous pouvons citer l'exemple d'un lutteur qui explique son échec par une cause externe (le mauvais état de l'arène, sable mouillé et qui glisse) et (ou) par son manque de talent (cause interne). Ceci amène à considérer plusieurs biais qui ont été étudiés en psychologie sociale dans l'intégration des causes internes et externes. En effet, C. Gernigon (1996, p.79), a noté chez les humains la tendance à expliquer les réussites par des facteurs internes (efforts, intelligence, et autres), mais les échecs par des facteurs externes (manque de chance, difficulté de la situation, et autres). Sur cette base, nous recommandons aux sportifs et à leur encadrement d'identifier la tendance qui porte les germes d'une *complaisance* afin de procéder à une meilleure introspection du discours à délivrer après les compétitions, puisque les résultats de prochaines joutes pourraient en subir des conséquences.

7. Conclusion Générale

La psychologie du sport est une science récente qui a cessé de prouver sa légitimité scientifique et académique dans le monde après que Coleman Griffith en ait jeté les bases. Au cours des dernières années, dans les plus hautes institutions et universités du monde, la présence d'activités scientifiques orientées vers la psychologie du sport est effective. De plus, beaucoup d'étudiants, dans les filières de l'exercice physique, des programmes socio-éducatifs ou de l'entrainement sportif, s'intéressent de plus en plus à cette discipline scientifique.

Aujourd'hui, la contribution du psychologue dans le domaine sportif constitue désormais une réalité.

Cependant, il intervient dans un domaine (le sport) qui, malgré les nombreux avantages et aspects positifs qui lui sont attribués, continue d'alimenter les critiques et controverses à cause de ses liens avec la politique, la violence, la corruption, les médias, le racisme, etc. De ce fait, l'intervention du psychologue nécessite une reconnaissance du contexte et du champ d'intervention afin d'agir corrélativement. Un champ dans lequel sa présence semble subir des blocages et réticences de la part des organisations sportives et des institutions autorisées à développer le sport dans sa totalité dans le contexte africain.

A vrai dire, cette absence de psychologue du sport est comblée par une entité de gourous et marabouts attitrés qui bénéficient d'une forte légitimité notamment avant, pendant et après les compétitions. Les stratégies (moralement acceptables ou non) qu'ils adoptent et qui visent à déstabiliser les adversaires, et à renforcer la confiance en soi de leurs "clients" semblent valorisées une forme de *psychologie du sport à l'africaine*. Ce qui entraine une situation de défiance au principe d'équité et d'intégrité, portant ainsi un coup de frein à l'approche tangible des interventions aussi bien à l'entraînement (pour l'acquisition des habiletés techniques et tactiques) qu'en compétition (préparation, discours pré ou post compétition). Ce qui peut poser le problème de la prise en compte de cet aspect psychologique avec une conséquence sur les compétences psychologiques des sportifs africains de haut niveau. De surcroît, l'absence de psychologues de sport dans les organisations sportives africaines comme les fédérations et clubs pose la question de la prise en charge psychologique des athlètes. Ces derniers éprouvent le besoin de se préparer à la compétition, de prévenir les désillusions et bénéficier d'une réparation après la compétition. Pour cela, l'appel à un psychologue de sport est une nécessité.

Pour cette raison, il est plus qu'essentiel que la psychologie du sport arrive à se faire reconnaitre en intégrant les structures dédiées. Lui attribuer cette reconnaissance signifie qu'elle milite en faveur d'une "*tropicalisation*" de la discipline sur la base d'un processus de validation des recherches anglo-saxonnes et une vulgarisation des recherches réalisées dans l'environnement africain et leur application au profit des athlètes africains.

Ainsi, il serait aisé de présumer, par exemple, que la confiance en soi est une qualité innée qui ne saurait être apprise. On pourrait croire aussi que les sportifs seraient bénis autant avec ses qualités mentales qu'avec leur personnalité, leur potentiel génétique ou bien les techniques apprises à travers les expériences. Dans tous les cas, on pourrait se dire que les entraineurs ne pourraient faire grand-chose pour améliorer les qualités mentales des sportifs. Nous croyons que c'est un mythe. Il est vrai que le sportif nait avec certaines dispositions physiques et psychologiques et que les qualités mentales sont développées à travers ses expériences de sa vie de tous les jours. Être motivé, rester calme sous la pression ou garder la confiance face à l'adversité ne sont pas seulement des qualités innées, elles sont aussi des qualités mentales que les sportifs apprennent à partir d'expériences et à travers l'entraînement de ces qualités. Il est plus probable de les entrainer que d'espérer que les sportifs les acquièrent à travers le processus d'essai et erreur.

La Psychologie du Sport et la Performance en Afrique pourrait servir de point de départ à un recueil plus complet d'informations sur les athlètes et équipes africaines et autoriserait une analyse plus fine de leurs profils, comportements et états mentaux, afin de proposer une démarche d'implication psychologique auprès de ceux- ci.

Glossaire

A ASP : Association of Applied Sport Psychologie APS
AMI : Athletes Motivation Inventory (Outil de mesure de la motivation des sportifs)

AMP : Attitude Mentale Positive

AMPS : Association Marocaine de la Psychologie du Sport

APSA : Activités Physiques et Sportives Adaptées

BPS: British Psychological Society

B.S.E: Bachelor Sciences of Physical Education

CAMES : Conseil Africain et Malgache pour l'Enseignement Supérieur

CAN : Coupe d'Afrique des Nations

CAPEPS : Certificat d'Aptitude Pédagogique d'Education Physique et Sportive (délivré à l'INSEPS de Dakar (UCAD) et au département STAPS de l'UFR SEFS (UGB Sénégal)

CAPS : Certificat d'Aptitude Pédagogique de Sport (Benin)

CDSII : Causal Dimension Scale II

CNG : Comité National de Gestion

C.I.O : Comité International Olympique

DTN : Directeur Technique national

ONU : Organisation des Nations Unies

ECA : Entraînement du contrôle attentionnel

EEG : Électroencéphalogramme

EMAC : Échelle de Mesure des Attributions Causales

EMG : Électromyogramme

EPS : Education Physiques et Sportives

FC : Fréquence Cardiaque

FR : Fréquence Respiratoire

FEPSAC : Psychologie des Sports et des Activités Corporelles

FIBA : Fédération Internationale de Basketball

FIFA : Fédération Internationale de Football Association

FTF : Fédération Tunisienne de Football

HCPC: Health and Care Professions Council

IAAF : Fédération Internationale d'Athlétisme

INJEPS : Institut National de la Jeunesse, de l'Education Physique et du Sport – Benin

INJS : Institut National de la Jeunesse et des Sports d'Abidjan – Cote d'Ivoire

ISSP : Société Internationale de la Psychologie du Sport

JISP : Journal International de Psychologie du Sport

LACS: Leeds Attribution Causal System

NASPSPA: North American Society for Psychology of Sport and Physical Activity

NBA : National Basketball Association

OCAM : Organisation Commune Africaine et Malgache

TFM : Télé Futur Media

2STV : première chaîne de télévision privée du Sénégal

RTS : Radiodiffusion télévision sénégalaise

RFM : Radio Futur Médias

SASS: Sport Attributional Style Scale

SCAT: Sport Competition Anxiety Test

SCT : Théorie Sociale Cognitive

SFPS : Société Française de Psychologie du Sport

SCLACS : Système de Codage Leeds des Attributions Causales Spontanées

STAPS/JL : Sciences et Techniques des Activités Physiques et Sportives/ Jeunesse et Loisir.

STASE : Sciences et Techniques des Activités Socio-Éducatives (Benin)

TIC : Trouble Involontaire Compulsif

TOC : Trouble Obsessionnel Compulsif

UEFA : Union des Associations Européennes de Football

UCLA : Université de Californie à Los Angeles

UGB : Université Gaston Berger de St Louis (Sénégal)

URSS : L'Union des républiques socialistes soviétiques, abrégé en URSS ou Union soviétique, était un État fédéral transcontinental à régime communiste. Cette fédération a existé de sa proclamation le 30 décembre 1922 à sa dissolution le 25 décembre 1991.

USOPC : *United States Olympique et Paralympique Committee* ou Comité Olympique et Paralympique des États-Unis. C'est une association à but non lucratif crée en 1894 représentant les États-Unis au Comité international olympique.

VO2 max : V pour "volume", O2 pour " oxygène ", max pour " maximal " est l'abréviation de "consommation maximale d'oxygène".

WSARS: Wingate Sport Achievement Responsibility Scale

CHEIKH SARR

Références Bibliographiques

● **Ouvrages**

ANDREFF, W. (2021). *La face cachée du sport*. De Boeck Superieur.
BIDDLE Stuart, HANRAHANH Stephanie and SELLARS Christoffer, 2001, *Attributions: Past, present and future*. In R. N. Singer, H. A. Hausenblas, and C. M. Janelle (eds), Handbook of sport psychology (2nd ed., pp. 444-471). New York: John Wiley and Sons

BIDDLE J.H. Stuart, MUTRIE Nanette, 2001, *Psychology of physical activity: Determinants, well-being and interventions*. London: Routledge.

BURTON Damon & RAEDEKE Thomas D, 2008, USA, *Sport Psychology for Coaches*. Human Kinetics.

GOULD Daniel et WEINBERG, Robert S, 2007, Foundations of sport and exercise psychology. Éd, Champaign, IL : Human Kinetics, 4th Ed

GNINGUE, M., & GUEYE, E. h. (2014). *Li Ci Tchoumikaay*. Dakar: Thiam Imprimeurie.

GREEN, C., & BENJAMIN, L. (2009). *Psychology gets in the game - Sports, Mind and Behavior 1880-1960*. University of Nebraska Press.

GURD, G. (1980). Pourquoi pas une approche critique et interprétative. *Communication.Information. Medias. Theories, 11*, 179-186.

FILIARD Jean-Robert et LEVEQUE Marc, 1990, *Traits de personalité et discipline sportives : présentation et description des résultats Evareg, Q.P.S. de Thill* Paris, Insep.

HEIDER Fritz, 1958, *The psychology of interpersonal relations*. New York: Wiley and Sons Inc..

Marsh, P., & Frosdick, S. (2005). Football Hooliganism. Routledge.

Mayo, E. (1933). he Human Problems of an Industrial Civilization. The Macmillan Co, Réédition en 2001 Routledge.

Mayo, E. (1945). The Social Problems of an Industrial Civilization. Graduate School of Business Administration; Harvard University.

Mbodj, M. (2008). Les pratiques mystiques dans Le milieu sportif sénégalais : Le cas du basketball. Rufisque: Inseps de Dakar.

● **Articles de revue**

BROHM, J.-M. (2019). THeorie critique du sport. Essais sur une diversion politique. *Revue Cités*, 181-183.

CROSNIER, D. (2004). *Les adolescents et le sport.* Paris: INSEP-Editions.

DIENG, H., DIAKHATE, A., & NGOM, A. (2019). Les influences du maraboutage sur la performance en football des equipes navetanes. *Revue Animation, territoires et pratiques socioculturelles (ATPS), 16,* 63-76.

FONTAYNE Paul, MARTIN-KRUMM Charles., BUTON Fabrice., et HEUZÉ Jean-Philippe, 2003, " Validation française de la version révisée de l'échelle de mesure des attributions causales " (CDSII). Centre de Recherches en Sciences du Sport, Université de Paris-Sud Orsay, France. Laboratoire de Psychologie Appliquée, Université de Reims Champagne-Ardenne, France. Les Cahiers Internationaux de Psychologie Sociale, n° 58, pp. 59-72.

GERNIGON Christophe, 1996, " Approche cognitive de la régulation de la motivation ". In H. Hélal, E. Jousselin & Y. Demarais (Eds), La récupération en sport: Approches des techniques et des moyens. Les cahiers de l'INSEP, n° 14-15. pp. 75-81. Paris: INSEP Publications.

KATZEMBAH, J. R., & SMITH, D. (1993). *The Wisdom of Teams : Creating the High-performance Organisation.* Boston: Harvard Business School.

KUEZINSKI, L. (2008). Attachement, blocage, blindage Autour de quelques figures de la sorcellerie chez les marabouts ouest-africains en région parisienne . *Cahiers d'Etudes Africaines* , 237-265.

LEWIS, B. (2021). WHAT'S IN A NAME: EXAMINING WHAT SPORTS TEAM NAMES COMMUNICATE. *M.A Thesis.* School of Communication and The Arts At Liberty University. .

LUSCHEN, G. (1982). *Le sport, ses aspectss social, politique et educationnel* (Vol. XXXIV). (Unesco, Éd.) Paris, France.

PARK, R. J. (1994). A long and productive career: Franklin M. Henry—scientist, mentor, pioneer. Research quartely for exercise and sport by the american Alliance for health, recreation and dance, Vol 65 N 4. PP295-307.

RAN R Hassina, HENK Aartsb et FERGUSSON Melissa, 2005, " Automatic goal inferences ". Journal of Experimental Social Psychology n° 41(2) pp. 129-140

ISAAC Anne, 1992, " Mental practice-does it works in the field? ". The sport psychologist. Vol 6. Issue 2. Pp 192-198

MCAULEY Edward, 1993b, " Self-referent thought in sport and physical activity". In T.S. Horn (Ed). Advances in sport psychology. Champaign, Il: Human kinetics.

Thema. (2020). Le secteur de la captation sportive États des lieux et enjeux. conseil superieur de l'audiovisuel .

VILLEMAIN Aude, FONTAYNE Paul, LEVEQUE Marc, 2005, "Le SCLACS : adaptation d'une méthode d'analyse des attributions causales spontanées ". Revue européenne de psychologie appliquée n° 55, 277–289

● Articles en ligne

ANONYME. (2012, avril 24). *Les pratiques mystiques au cœur de la lutte sénégalaise: le largage des coups invisibles.* Récupéré sur dakar actu: https://www.dakaractu.com/Les-pratiques-mystiques-au-coeur-de-la-lutte-senegalaise-le-largage-des-coups-invisibles_a19472.html

BARBIER, c., & LEBRIS, A. (2022, aout 30). *Top 10: histoires de maraboutage dans le foot.* Récupéré sur sofoot.com: https://www.sofoot.com/articles/top-10-histoires-de-maraboutages-dans-le-foot

CIYOW, Y., & GOURLAY, Y. (2022, septembre 28). *L'influence tenace des marabouts sur le sport en Afrique de l'Ouest.* Récupéré sur LeMonde Afrique Cote d'Ivoire: https://www.lemonde.fr/afrique/article/2022/09/28/en-afrique-de-l-ouest-l-influence-tenace-des-marabouts-sur-le-sport 6143599 3212.html

DIACK, P. (2021, novembre 12). *Sorcellerie : voici le top 5 des pays les plus mystiques d'Afrique.* Récupéré sur Pulse.sn: https://www.pulse.sn/lifestyle/sorcellerie-voici-le-top-5-des-pays-les-plus-mystiques-dafrique/1wft286

DIALLO, D. (2023, Mars 24). *Sénégal vs Mozambique: Les tickets du match retirés et redistribués à des responsables de l'APR*. Récupéré sur Senego: https://senego.com/senegal-vs-mozambique-les-tickets-du-match-retires-et-redistribues-a-des-responsables-de-lapr_1531748.html

DRAMANE, A. (2023, Mars 25). *Sénégal-Mozambique : Les supporters avec les banderoles " anti-Macky Sall " finalement libérés*. Récupéré sur Kewoulo: https://kewoulo.info/senegal-mozambique-les-supporters-avec-les-banderoles-anti-macky-sall-finalement-liberes/

DURAND-BUSH Nathalie., SALMELA John & GREEN-DEMERS Isabelle, 2001, " The Ottawa mental skills assessment tool OMSAT-3". The Sport Psychologist. 15 (1) : 1-19. URL : https://www.researchgate.net/publication/232565048_The_Ottawa_mental_skills_assessment_tool_OMSAT-3 (consulté le 4 fevrier 2018).

GALSENFOOT. (2017, septembre 13). *Portrait – Joseph Koto – Il était une fois, l'histoire de "Bout de chou"*. Récupéré sur galsenfoot: https://galsenfoot.sn/portrait-joseph-koto-il-etait-une-fois-lhistoire-de-bout-de-chou/

HARZOUNE, M. (2022). *Comment definir le racisme?* Récupéré sur Musee de l;histoire de l'immigration: https://www.histoire-immigration.fr/les-mots/comment-definir-le-racisme

MBODJ Moussa, 2018, " Propos du ministre des sports lors de la concertation nationale ". URL : www.sport221.com[1]. (Consulté le 15 novembre 2020 à 12h23mn).

leral.net. (2017, mars 9). *Insolite: CAN U20: Joseph Koto appelait- il son marabout?* Récupéré sur leral.net: https://www.leral.net/Video-Insolite-CAN-U20-Joseph-Koto-appelait-il-son-marabout_a194457.html

MARCILLAC, R. (1958, octobre 7). *archives* . Récupéré sur lemonde.fr: https://www.lemonde.fr/archives/article/1958/10/07/m-maurice-herzog-haut-commissaire-a-la-jeunesse-et-aux-sports_2315639_1819218.html

MBZ. (2022, octobre 26). La FIFA menace de suspendre les équipes tunisiennes si l'ingérence de l'Etat est avérée. Récupéré sur Business News:

1. http://www.sport221.com

https://www.businessnews.com.tn/la-fifa-menace-de-suspendre-les-equipes-tunisiennes-si-lingerence-de-letat-est-averee,520,123960,3

MOLLEREAU, J. (2020, fevrier 3). FALADE (Mondorf) : "Chez nous, le football, c'est pour les délinquants". Récupéré sur Le Quotien Independant Luxembourgeois: https://lequotidien.lu/a-la-une/falade-mondorf-chez-nous-le-football-cest-pour-les-delinquants/

ORLICK, Terry. & PARTINGTON, John, 1988, " Mental links to excellenc e". The sport psychologist (Vol. 2). The sport psychologist.URL : https://journals.humankinetics.com/view/journals/tsp/2/2/article-p105.xml (consulté le 26 mars 2019)

PINTO, E. (2022, Novembre 10). Africa Top Sports. Récupéré sur INCERTITUDE AUTOUR DE MANÉ, UN HAUT CADRE DE LA FIFA IMPLORE LES MARABOUTS: https://www.africatopsports.com/2022/11/10/incertitude-autour-de-mane-un-haut-cadre-de-la-fifa-implore-les-marabouts/

REUTERS. (2010, Juin 26). la fifa avertit la france contre toute ingerence du politique. Récupéré sur Le Point: https://www.lepoint.fr/coupe-du-monde/la-fifa-avertit-la-france-contre-toute-ingerence-du-politique-26-06-2010-470716_2167.php#11

SAKHO, A. (2022, decembre 13). La retransmission des évènements sportifs pose problème en Afrique: voici comment y remédier. Récupéré sur The Conversation: https://theconversation.com/la-retransmission-des-evenements-sportifs-pose-probleme-en-afrique-voici-comment-y-remedier-195685

SEHOUÉ, A. (2014, Mars 5). Football / Dr Dagrou Ernest (Psychologue du sport) confesse : "Les Eléphants n'ont pas de psychologue". Récupéré sur L'intelligent d'Abidjan: https://news.abidjan.net/articles/490841/football-dr-dagrou-ernest-psychologue-du-sport-confesse-les-elephants-nont-pas-de-psychologue

SENGHOR, C. (2019, Juillet 17). Au Sénégal, les religieux soutiennent l'équipe nationale en finale de la CAN. Récupéré sur La croix Africa: https://africa.la-croix.com/au-senegal-les-religieux-soutiennent-lequipe-nationale-en-finale-de-la-can/

SERE, L. (2022, aout 31). Hypocrisie La Fifa ne veut pas la Russie à la Coupe du monde mais veut bien son argent. Récupéré sur liberation.fr :

https://www.liberation.fr/sports/football/la-fifa-ne-veut-pas-la-russie-a-la-coupe-du-monde-mais-veut-bien-son-argent-20220831_JJHOW4RLONEBBLUMKSYOEOMBGE/

STRATTON Terry, SAUNDERS Justin and ELAM Carol, 2008, " Changes in medical students' emotional intelligence: an exploratory study ". Teach. Learn. Med. 20 pp. 279–284. 10.1080/10401330802199625. URL : https://www.researchgate.net/publication/5235984_Changes_in_Medical_Students%27_Emotional_Intelligence_An_Exploratory (consulté le 13 Janvier 2018)

TANETTE, S. (1998, Juin 13). Les confessions d'un ancien footballeur sur les traditions africaines dans les stades. Récupéré sur Le Temps: https://www.letemps.ch/sport/confessions-dun-ancien-footballeur-traditions-africaines-stades

ULEMAN James. S., & NEWMAN, Leonard. S, 1989, Spontaneous trait inference ". In James. S. Uleman & J. A. Bargh (Eds.), Unintended thought (pp. 155–188). The Guilford Press. (consulté le 22 Avril 2017) https://journals.sagepub.com/doi/10.1177/0146167290162004

VILLA, V. (2023, Mars 31, 23h13). *Pourquoi la FFF refuse les pauses pendant les matches pour rompre le jeûne.* Récupéré sur L'Equipe: https://www.lequipe.fr/Football/Article/La-fff-refuse-les-pauses-pendant-les-matches-en-france-pour-rompre-le-jeune-du-ramadan/1389014

WEINER Bernard, 1985, " An attribution theory of achievement motivation and emotion ". Psychological review 92(4) 548 73. DOI :101037/0033-295X.92.4.548. URL : https://www.researchgate.net/publication/19257755_An_Attributional_Theory_of_Achievement_Motivation_and_Emotion/related#fullTextFileContent (consulté le 7 decembre 2018)

WEINER Bernard, 1986, " An attribution theory of achievement motivation and emotion ". New York: Springer-Verlag. Pp 159-190. URL: https://link.springer.com/book/10.1007/978-1-4612-4948-1 (consulté le 5 mai 2019)

Winteraraine & Uleman James S, 1984, " When are social judgments made? Evidence for the spontaneousness of trait inferences". Journal of Personality and Social Psychology, 47(2), 237–252. https://doi.org/10.1037/0022-3514.47.2.237 (Retraction published 1973, Psychological Review, 80[5],

352-373) https://pubmed.ncbi.nlm.nih.gov/6481615/ (consulté le 8 fevrier 2018)

Indexmundi, 2017, Sénégal, taux d'alphabetisation. (Consulté le 4 décembre 2020 à 14h37mn). URL : https://www.indexmundi.com/fr/senegal/taux_d_alphabetisation.html.

• **Theses de doctorat**

DIATTA, S. (1999). *Pratiques magico-religieuses, anxiété et préparation psychologique chez les sportifs sénégalais.* Dijon, France : Thèse de Doctorat.

HEUZÉ Jean-Philippe, 1995, *Implication psychologique auprès d'équipes nationales dans un sport collectif. L'exemple du water-polo,* Thèse de doctorat en Sciences biologiques et fondamentales appliquées. Psychologie. Université de DIJON, France

CHEIKH SARR

1. Combat Malick Niang vs Ama Baldé : victoire d'Ama Baldé

Malick Niang : " j'ai perdu, *il est meilleur que moi* "
Ama Baldé : attribue les raisons de sa victoire à ses parents, à Dieu, au fait d'être baptisé grâce à l'argent de la lutte, à Cheikh Ibra Fall, à son courage.

1. Combat Balla Gaye 2 vs Modou Lo

Modou Lo : invoquant la fatalité *"Quand la défaite arrive on n'y peut rien* "
https://www.youtube.com/watch ?v=8bOAJ_7iEDY[1] 2mn 08

1. Combat Balla Gaye 2 vs Tapha Tine : victoire de Balla Gaye

Balla Gaye : attribue les raisons de sa victoire à Sidy Barra Mbacké, à la Casamance, au fait d'être fils de lutteur à sa force et à sa jeunesse *"je suis plus fort et plus jeune* " https ://www.youtube.com/watch?v=Brj2zjIuz8M[2]

1. Combat Balla Gaye 2 vs Yekini : victoire de Balla Gaye 2

Yekini attribue sa défaite indirectement aux problèmes mystiques, à la fatigue
https ://www.youtube.com/watch?v=-Jz-p20Vfps[3]

1. Combat Boy Niang vs Zoss : victoire de Zoss

Boy Niang explique sa défaite par une mauvaise appréciation de l'arbitre
https ://www.youtube.com/watch?v=yJjDiwvrdrA[4]
Zoss : explique sa victoire par sa détermination à nourrir sa famille, par son travail, sa stratégie.

https ://www.youtube.com/watch?v=CT-ohfapt8s[5]

1. Combat Balla Gaye 2 vs Bombardier

Balla Gaye 2 : évoque la maladie, le destin " *quand tu dois tomber tu es le seul à le savoir* ",
Bombardier : attribue la victoire à Dieu, à son marabout Serigne Abdou Karim, aux habitants de Joal, de Louga, de Tiénaba

1. Combat Balla Gaye 2 vs Mohammed Ndao " Tyson " : victoire de Balla Gaye 2

Mohamed Ndao " Tyson " dit avoir fait tout ce qu'il fallait mais le bon Dieu en a décidé ainsi
Balla Gaye 2 attribue sa victoire aux prières : " *je ne sais rien et je n'ai rien* " (11mn :00).
Https ://www.youtube.com/watch?v=FmNPMH_-j3M[6]

1. Combat Mbaye Gueye 2 vs Pape Konaté : victoire de Mbaye Gueye

Pape Konaté explique sa défaite par ses erreurs commises
Mbaye Gueye : son discours se résume à des remerciements

1. Combat Gris Bordeaux vs Baye Mandione : victoire de Gris Bordeaux

Gris Bordeaux : " *je me suis bien préparé, j'ai investi des millions pour être en forme* "
Https ://www.youtube.com/watch?v=CVHeUiimoGY[7]

1. Combat Pakala vs Bismi Ndoye : match-nul

Bismi invoque le pouvoir suprême,

---

5.   https://www.youtube.com/watch?v=CT-ohfapt8s

6.   https://www.youtube.com/watch?v=FmNPMH_-j3M

7.   https://www.youtube.com/watch?v=CVHeUiimoGY

Pakala invoque la maladie, Dieu, la diarrhée, les vomissements : " *c'est Dieu qui décide* "

1. Combat " Lac de Guer 2 " vs Euma Séne : Victoire de Euma Séne

Euma Séne attribue sa victoire à la cause divine
" Lac de Guier 2 " explique sa défaite par Dieu et erreurs commises : https ://www.youtube.com/watch?v=oByBXDmCl-Y[8]

1. Combat Elton vs Tapha Tine : victoire de Tapha Tine par décision médicale

Elton explique sa défaite par le fatalisme. Https ://www.youtube.com/ watch?v=TVxY8F1xoME[9]

1. Combat Tapha Tine vs Bombardier : victoire de Tapha Tine

Tapha Tine se référe aux soutiens et prières
https ://www.youtube.com/watch?v=o8JVScgO1p8[10]

1. Combat Modou Lo vs Euma Séne : victoire Modou Lo

Modou LO invoque Dieu, sa régularité aux compétitions.

1. Combat Gouygui vs Mbaye Diouf : Victoire de Gouygui

Il a seulement remercié.
Victoire de Baboye sur Baymandione
Baboye invoque le travail, le nombre de séances, sa force, son expérience, le soutien de *Tyson)*

1. Combat Thiape sa filing vs Diégui siraate : victoire de Diégui Siraate

---

8.   https://www.youtube.com/watch?v=oByBXDmCl-Y

9.   https://www.youtube.com/watch?v=TVxY8F1xoME

10.   https://www.youtube.com/watch?v=o8JVScgO1p8

Thiape sa filing invoque les pleures des femmes. https://www.youtube.com/watch?v=DBkNHg10yoA

CHEIKH SARR

LA PSYCHOLOGIE DU SPORT ET LA PERFORMANCE EN AFRIQUE

"Les compétences du marabout, est-ce faire perdre ou faire gagner?"

Introduire une nouvelle discipline scientifique comme la psychologie du sport dans un monde sportif africain, déjà envahi par les pratiques magicoreligieuses, semble être un exercice difficile puis que leur impact sur la performance est souvent perçu comme réel par de nombreux athlètes. Néanmoins, certaines organisations sportives voient cette pratique d'un mauvais œil car elle va contre leurs valeurs professionnelles qui prônent le fair-play ainsi que la neutralité vis-à-vis des convictions personnelles des joueurs. Ce qui ouvre une fenêtre optimiste.

Un pas vers l'inhabituel. C'est le risque que le Dr Cheikh Sarr (PhD) vient de prendre en écrivant son premier livre. Né à Joal Fadiouth, il a passé toute sa jeunesse à Thiès. Après avoir obtenu le BAC au lycée Malick Sy de Thiès, il a jeté ses baluchons à Dakar pour poursuivre son cursus universitaire à l'INSEPS. Le CAPEPS en poche après 6 années, il a poursuivi ses études en Psychologie du Sport en Allemagne en 2003 avant de rejoindre l'Université de Delaware (USA) où il a obtenu son master en Education et Management du Sport en 2008. Cette passion des études et de la recherche a favorisé son retour dans le monde universitaire en tant qu'enseignant chercheur à l'UGB en 2011 où il a obtenu son Doctorat en Psychologie du Sport en 2016. Durant tout son cursus, il a concilié les études et le Basketball. Les nombreuses compétitions nationales et internationales auxquelles il a participé en tant qu'entraineur national lui a valu une réputation d'un homme rigoureux et travailleur. Ses résultats lors des coupes du monde masculine (2014) et féminine (2018) ont fini de lui donner une reconnaissance mondiale. Aujourd'hui, son statut d'instructeur des instructeurs au niveau de l'association mondiale des entraineurs (WABC) de la FIBA tinte comme une consécration d'où les nombreuses formations, cliniques et camps réalisés dans plusieurs villes africaines (Abidjan, Antananarivo, Antsirabe, Bujumbura, Douala, Dubaï, Garoua, Johannesburg, Kigali, Man, Musanzé, Port Elisabeth, Porto-Novo, St Louis, etc.)

Vous pouvez me contacter sur :

- https://twitter.com/coachcheikh
- https://web.facebook.com/cdiokhsarr
- https://www.instagram.com/cheikh68
- https://www.linkedin.com/in/dr-cheikh-sarr-03b17779

[1] Selon Larousse et Robert s'accordent à définir l'exégèse comme une Explication philologique, historique ou doctrinale d'un texte obscur ou sujet à discussion. Interprétation et commentaire détaillés d'un discours

[2] Fonctionnaire religieux musulman attaché à une mosquée, chargé d'appeler, du haut du minaret, les fidèles à la prière.

[3] Salat Maghrib est une prière pratiquée par les musulmans entre le coucher du soleil et la tombée de la nuit.

[4] Sigle de l'organisation mondiale de la santé, une institution de l'organisation des nations unies (ONU) spécialisée dans les problèmes de santé public.

[5] C'est une variation de la lutte traditionnelle sénégalaise. C'est la plus connu au Sénégal. Cette discipline inclut, en plus de la lutte avec frappe, aussi la boxe. Le combattant peut à la fois lutter en donnant des coups et recourir au corps-à-corps pour vaincre son adversaire. Le Lamb en Wolof possède une connotation culturelle assez forte.

[6] Le Dambe est un art martial traditionnellement pratiqué par les organisations de bouchers, en région haoussa. C'est un test de courage, un rite de passage pour le mariage, et un entraînement à la guerre. Ce style de boxe ouest-africain jouit d'une très grande popularité dans le sud du Niger et du Tchad. Le Dambe est un sport de combat où les deux combattants peuvent donner des coups, des deux pieds à leur adversaire, avec la tête, et un seul poing. Celui-ci est appelé " lance ", tandis que l'autre poing est appelé bouclier et n'est utilisé que pour bloquer ou parer les coups de l'adversaire. Le poing " lance " est lacé avec une corde.

[7] Un microcosme est une petite société, un lieu ou une activité qui a toutes les caractéristiques typiques d'une société beaucoup plus grande et semble donc en être une version plus petite. La ville est un microcosme de toutes les cultures.

[8] Il s'agit d'une activité qui se déroule après les combats de lutte avec frappe ou même de football, où des dizaines de jeunes et d'adultes se déplacent dans la rue en volant les automobilistes et motocyclistes qui ont la malchance de se retrouver sur leur chemin, au vu et au su de tous. C'est une activité prévisible puis qu'elle a lieu de manière spontanée ou planifiée à l'avance.

[9] Le MMA signifie Mixed Martial Arts, c'est un sport. UFC, qui signifie Ultimate Fighting Championship, est une organisation qui promeut les combats MMA. Dire que l'UFC et le MMA sont la même chose, c'est comme dire la même chose pour la NBA et le basket-ball.

[10] Créée en 1999, ORIGINES SA s'est constituée en une société anonyme de droit sénégalais spécialisée dans la production audiovisuelle. Ses investissements ont mené à la création en 2005 de la première chaîne de télévision privée du Sénégal dénommée " 2STV "

[11] La Radiodiffusion télévision sénégalaise est un organisme public sénégalais de diffusion radiophonique et audiovisuelle. Elle est créée en 1960

213

[12] Radio Futurs Médias est une station privée en français et wolof appartenant au groupe Futurs Médias. Elle diffuse des actualités portant sur le Sénégal et le reste du monde ainsi que des programmes culturels.

[13] Max Herman Gluckman est un anthropologue britannique né à Johannesburg. Il a fondé l'école de Manchester en 1947, qui se base sur les études de cas et la résolution de conflits sociaux.

[14] Yves Engler est un activiste canadien basé à Montréal. Il est auteur de 12 livres dont le dernier est intitulé *Stand on guard for whom ? A people's history of the canadian military*. Yves est né à Vancouver de parents de gauche militants syndicaux et impliqués dans des mouvements de solidarité internationale, féministes, antiracistes, pacifistes et autres progressistes.

[15] Kewoulo est le premier journal d'investigation de l'Afrique de l'Ouest, basé à Dakar, au Sénégal. Son siège social se trouve à la Foire de Dakar, juste derrière la brigade de gendarmerie.

[16] Senego est un site d'information spécialisée sur l'actualité sénégalaise et africaine. Sa mission première est de fournir une information fiable et vérifiée en temps réel. Son siège se trouve à Fass Paillote rond-point Canal 4 Résidence Adja Mame Ndiaye. Dakar, Sénégal.

[17] L'embolie gazeuse se constitue à partir de bulles de gaz qui prennent naissance in-situ dans les vaisseaux. La diminution brusque de la pression ambiante aboutit à un passage soudain des gaz de la forme dissoute à la forme gazeuse. Ex : le plongeur (accident de plongée sous-marine); symptomatologie immédiate ou à plus long terme.

[18] Roberta J. Park est un professeur au département de la biodynamique humaine à l'Université de Californie, Berkeley.

[19] Les troubles obsessionnels compulsifs (TOC) déclenchent des pensées dérangeantes, répétitives et incontrôlables, causant une forte anxiété. Ces obsessions se focalisent sur des thèmes précis (saleté, sexe, peur de l'erreur, etc.) Ils sont fréquents et débutent souvent avant l'âge de 25 ans

[20] Sciences et techniques des activités physiques et sportives/Jeunesse et loisir.

[21] Le Conseil africain et malgache pour l'enseignement supérieur est une institution africaine créée en 1968. Le CAMES a été créé par les chefs d'État de l'Organisation commune africaine et malgache (OCAM) à la suite de la Conférence de Niamey de 1981. Cette organisation intergouvernementale à son siège à Ouagadougou (Burkina Faso).

[22] Lorsqu'on parle de la loi 1901 pour une association, on fait référence à la loi du 1er juillet 1901 qui définit les règles régissant le statut juridique associatif.

- L'association est définie comme un groupement d'au moins deux personnes dont le but n'est pas de maximiser un profit ou de partager des bénéfices

- L'association doit posséder une direction qui est le représentant légal de l'organisme. Selon les dispositions prévues par les statuts, la direction peut se composer d'une ou plusieurs personnes. Les membres du bureau sont élus par l'assemblée des membres, sauf si les statuts comportent une autre disposition.

- Il est composé traditionnellement de plusieurs membres : le Président, un Secrétaire et un Trésorier. Ces derniers ont tous des rôles respectifs. Ensemble, ils veillent à la bonne gestion de l'association, et au respect des règles encadrant l'association.

[23] Rainer Martens est un ancien professeur de kinésiologie à l'Université de l'Illinois (1968-1984) et le fondateur et président de Human Kinetics, le plus grand éditeur mondial de ressources sur le sport, l'activité physique et la santé à partir de 2020. Martens a été président de l'Académie américaine du mouvement humain et de l'Education physique et la société américaine du nord pour la psychologie du sport et de l'Education physique. Il a été membre du conseil d'administration de nombreuses organisations, dont le collège américain de la médecine du sport, l'Association nationale pour l'éducation physique dans l'enseignement supérieur et l'Académie américaine pour l'Education physique. Au cours de sa longue carrière d'entraîneur, de professeur, de chercheur et d'éditeur, il a reçu de nombreux prix et distinctions. Il a été intronisé à l'association Nationale du Sport et de l'Education Physique (Hall of Fame) en 2001 et à la ligue nationale de Softball (Hall of Fame) en 2009.

[24] Flux en anglais, se caractérise par l'absorption totale d'une personne dans son occupation. Ce concept élaboré par le psychologue Mihaly Csiksentmihalyi est repris dans le domaine du sport, de la spiritualité, de l'éducation et de la séduction.

[25] Le PSIS-5 (Mahoney et *al.*, 1987), le ACSI-28 (Smith et *al.*, 1995), le TOPS (Thomas et *al.*, (1999), le programme d'entraînement mental (Orlick, 1986) sont des méthodes psychologiques employées par les professionnels du sport ou les sportifs eux-mêmes pour améliorer la performance sportive.

[26] Selon Jérémie Tessier-Vigneault, analyste en formation, École de politique appliquée, Faculté des lettres et sciences humaines, Université de Sherbrooke, dans son article intitulé : Sénégal : l'islamisme radical, une simple menace ? de WORLD CHRISTIAN DATABASE, " Pourcentage de musulmans au Sénégal en 2005 ", Perspective Monde, 2017, [En ligne] [hyperlien] (Page consultée le 17 novembre 2017)

[27] Pour Bernard Weiner (1992), le comportement d'un individu est influencé par la façon dont il perçoit les causes de ce qui lui arrive. Quand les événements qui lui arrivent sont importants (succès, échec), l'individu est amené à en chercher les causes car il a besoin de comprendre et de rationaliser ses expériences. Il renvoie les explications à des causes dispositionnelles ou à des causes externes ou internes (parfois les deux en même temps), mais toujours en essayant de garder une stabilité cognitive. Selon Vallerand (1994), *une attribution causale est une inférence qui a pour but d'expliquer pourquoi un événement a eu lieu.* L'explication donnée devient alors la cause perçue d'un événement et correspond à une attribution. Cette théorie est découverte par Heider (1958) mais popularisée par Weiner (1985).

[28] Terme tiré du Wolof, une langue nationale sénégalaise, et qui signifie : Les secrets des pratiques mystiques

[29] C'est le terme employé dans le livre Tchoumikaay

[30] Ce sont les appellations contenues dans le livre Tchoumikaay, marabout, chercheur et tradipraticien

[31] Équipe de lutte avec frappe d'un quartier populaire de Dakar, situé entre la Medina et une partie de la zone B, du point E et le quartier de Colobane

[32] Célèbre reporter et animateur de lutte avec frappe.

[33] Psychologue de sport et ancien Directeur de l'Institut National de la Jeunesse et des Sport d'Abidjan (2002)

[34] Mot wolof (langue nationale sénégalaise) employé par les acteurs du sport sénégalais pour qualifier les pratiques magicoreligieuses

[35] Elhadji Ousseynou Diouf, né le 15 janvier 1981 à Dakar, est un ancien footballeur professionnel sénégalais qui a joué au poste d'attaquant. Il a commencé sa carrière de footballeur professionnel en France avec Sochaux, Rennes et Lens, puis a finalisé un transfert vers Liverpool en Premier League avant la Coupe du Monde de 2002. Il a également joué dans l'élite anglaise pour Bolton Wanderers, Sunderland et Blackburn Rovers avant un passage en Premier League écossaise avec les Rangers. En 2011, il a rejoint Doncaster Rovers du championnat de la Ligue de football mais a été libéré à la fin de la saison 2011-12 suite à la relégation du club. Il a ensuite déménagé à Leeds United où il a passé deux saisons. Au cours de sa carrière internationale de neuf ans, il a marqué 21 buts en 69 sélections et a également acquis une notoriété considérable

[36] A l'origine, les Navétanes sont de jeunes Soudanais démunis qui se déplaçaient au Sénégal à la période des labours pour aider à la culture des arachides. Par extension, le terme désigne des pratiques sportives informelles très populaires qui se déroulaient en marge des fédérations (DIENG, DIAKHATE, & NGOM, 2019)

[37] Le fait d'anticiper et se protéger des esprits mal intentionnés par l'utilisation de produits mystiques ou des écrits religieux.

[38] La libido désigne globalement l'appétit sexuel. Le terme est issu de la philosophie, mais a été repris par Sigmund Freud qui l'a introduit en psychanalyse.

[39] Elton Mayo, né le 26 décembre 1880 à Adélaïde en Australie et mort le 7 septembre 1949, est un psychologue et sociologue australien à l'origine du mouvement des relations humaines en management. Il est considéré comme l'un des pères fondateurs de la sociologie du travail en initiant la vision sociale de l'être humain au travail. De ses expérimentations, il a déduit l'importance de la motivation sociale sur le comportement et la performance des travailleurs, ceux-ci étant en attente de reconnaissance et de considération dans les relations interpersonnelles.

[40] Depuis le départ du président feu Ibrahima Diagne en mars 2001 à la tête de la FSBB, les conflits internes polluent le climat à la FSBB. Le malaise ne s'est jamais estompé malgré le

changement de personne à la tête de l'instance. En effet, l'arrivée de trois nouveaux bureaux successifs n'a rien changé. A vrai dire, les différents présidents qui se sont succédés peinent à assoir un leadership de convergence et ont de surcroit jeté leur dévolu sur les différents Directeurs Technique et Entraineurs nationaux. Les conflits ont également atteint les membres du comité directeur et des secrétaires généraux.

• • • •

[41] BARAKA OU BARAKAH, de l'arabe بركة, signifie la bénédiction. Dans le langage courant, elle signifie l'abondance dans l'argent, les biens, la famille et toutes autres choses en rapport avec le bien. Avoir la baraka signifie avoir de la chance, être béni (veine, chance, par extension)

[42] Un promoteur est un organisateur d'évènements sportif mais spécifiquement au niveau de la lutte avec frappe. Au niveau de la boxe, *The Rumble in the jungle* au Zaïre est le premier évènement organisé par Don Kingen tant que promoteur professionnel. Au Sénégal, les plus célèbres promoteurs sont Gaston Mbengue, Luc Nicolaï, Aziz Ndiaye, etc...

[43] Étymologiquement, une écurie est une bâtisse destinée au logement des équidés, principalement des chevaux. Au Sénégal, le nom " *écurie* " désigne également les clubs de lutte. Les lutteurs sont regroupés en écuries et adhèrent à la fédération (Comité National de Gestion de la lutte communément appelé CNG) qui est l'organe de gestion de cette activité physique.

[44]Leeds Attribution Causal System

[45]Émissions télévisées respectivement de la 2STV, de la TFM, de la RTS, de Walf TV, qui sont dédiées à la lutte sénégalaise

[46] Speaker : annonceur.

[47] Target : la cause ciblée

[48] Le galgal est une technique de jambe utilisée par les lutteurs et qui consiste à enrouler sa jambe en bas et à l'intérieur de celle de son adversaire afin de créer un blocage du mouvement de ce dernier. Cette technique s'apparente à celle du lutteur sur celle de son adversaire en jambe.

[49] Le galgal est une technique de jambe utilisée par les lutteurs et qui consiste à enrouler sa jambe en bas et à l'intérieur de celle de son adversaire afin de créer un blocage du mouvement de ce dernier. Cette technique s'apparente à celle du lutteur sur celle de son adversaire en jambe.

[50] En Afrique subsaharienne, un marabout est un terme ambigu qui peut désigner deux choses profondément différentes, à savoir un guide religieux musulman ou un sorcier. Ainsi, il arrive qu'on appelle marabout un sorcier ou un envoûteur à qui l'on prête des pouvoirs de voyance et de guérison, et qui se propose de résoudre tout type de problème ; même si en apparence ce genre personnage se réclame de l'Islam, il utilise des pratiques animistes et fait preuve d'un réel syncrétisme religieux. Les marabouts subsahariens aiment se référer autant dans l'islam que dans l'animisme, le christianisme, le vaudou ou plus généralement la magie.

Don't miss out!

Visit the website below and you can sign up to receive emails whenever Cheikh SARR publishes a new book. There's no charge and no obligation.

https://books2read.com/r/B-A-RZLEB-BYIAD

BOOKS 2 READ

Connecting independent readers to independent writers.

Also by Cheikh SARR

Beyond the Whistle
La Psychologie du Sport et la Performance en Afrique

Milton Keynes UK
Ingram Content Group UK Ltd.
UKHW021923110424
440929UK00015B/472